Ann Jousiffe

TUNISIE

KÖNEMANN

*** Fortement conseillé
** Conseillé
* À voir éventuellement

Première publication en 1999
par New Holland (Publishers) Ltd.

Titre original :
Globetrotter Travel Guide *Tunisia*

Traduction de l'anglais : Laurence Botta
Correction : Véronique Basset
Suivi éditorial : Sybille Kornitschky
Réalisation : mot.*tiff*, Paris
Design de couverture : Peter Feierabend
Fabrication : Ursula Schümer
Impression et reliure :
Sing Cheong Printing Co. Ltd.
Imprimé en Chine, Hong Kong

ISBN 3-8290-3018-5

10 9 8 7 6 5 4 3 2 1

L'éditeur ne saura être tenu responsable des erreurs ou omissions involontaires qui auraient pu subsister dans ce guide. Toutes les informations ont été rassemblées et vérifiées avec le plus grand soin. Estimées exactes à la date de réalisation, des changements de dernière minute ne sont pas à exclure. Nous remercions nos lecteurs de toutes leurs bonnes adresses, corrections, suggestions et découvertes personnelles adressées à :
Könemann Verlagsgesellschaft mbH,
Bonner Straße 126, D-50968 Cologne

Crédits photographiques :
Jenny Burke, 11, 74, 76 ; **Christine Osborne Pictures,** page de titre, 8, 13, 14, 17, 18, 19, 20, 21, 28, 29 (en haut et en bas), 30, 36, 38, 39, 40, 41, 43, 44, 46, 47, 50, 66, 71, 80, 91, 93, 94, 98, 101, 104, 105, 106 ; **Christine Osborne Pictures/Patrick Syder,** 65 ; **Ann Jousiffe,** 26, 35, 113 ; **Peter Jousiffe,** 4, 9, 31, 32, 37, 117 ; **Peter & Ann Jousiffe,** 6, 48 ; **Behram Kapadia,** 15, 22, 24, 25, 49, 52, 84, 89, 92, 102 ; **Life File/Joan Blencowe,** 82, 86 ; **Life File/Barry Mayes,** 83, 116 ; **Life File/Lionel Moss,** 42, 45 ; **Life File/Flora Torrance,** 27 ; **Mark Azavedo PhotoLibrary/Rob Hall,** 7, 68, 87 ; **Mary Evans Picture Library,** 16 ; **Tim Motion,** 62, 64, 75, 110, 118, 119 ; **PhotoBank/Jeanetta Baker,** 12, 103 ; **PhotoBank/Peter Baker,** 23, 73, 107 ; **Jeroen Snijders,** 54, 56, 57, 58, 59, 60, 61 ; **Travel Ink/David Forman,** 95, 114 ; **Travel Ink/Chris North,** 77 ; **Travel Ink/Simon Reddy,** 10, 34, 88, 90.

SOMMAIRE

1. Bienvenue en Tunisie 5
Le pays 6
Histoire en bref 10
Gouvernement et économie 20
La population 22

2. Tunis 33
La médina 35
La ville française 39
Les environs de Tunis 40
La Goulette 42
Carthage 42
Sidi-bou-Saïd 46
Plages et stations balnéaires 48
Thuburbo-Majus 49

3. Le nord de la Tunisie 53
Utique 53
Le littoral septentrional 54
Aïn-Draham 59
Bulla-Regia et Chemtou 60
Dougga 62
Le Kef 65

4. La péninsule du cap Bon 69
Hammamet 70
Nabeul 72
Kelibia 73
El-Haouaria 76
Korbous 77

5. Le centre de la Tunisie 81
Sousse 82
Monastir 87
Le sud de Monastir 90
Mahdia 90
El-Jem 92
Kairouan 92
Sbeïtla 94
Makthar 95

6. Le golfe de Gabès 99
Sfax 99
Les îles Kerkennah 101
Gabès 102
L'île de Djerba 104

7. Le Sud et le désert 111
Chott-el-Djerid 111
Gafsa 112
Les oasis de montagne 114
Tozeur 115
Douz 116
Matmata 117
Les ksour 117

Informations pratiques 122

Index 127

1
Bienvenue en Tunisie

Dans l'immensité des pays nord-africains, la Tunisie se présente comme un petit triangle bordé par la **mer Méditerranée**, dont la pointe s'enfonce dans le **désert du Sahara**. Ce pays au patrimoine ancien et diversifié possède des traditions et une culture qui lui sont propres. Pays du Maghreb le plus ouvert et le plus accessible, la Tunisie offre aux visiteurs le meilleur des deux mondes : des kilomètres de plage de sable immaculé, un mode de vie méditerranéen et une culture nord-africaine traditionnelle, propre au désert du Sahara et aux villages de montagne du Nord.

Des nombreux peuples qui ont contribué à façonner le patrimoine tunisien, les **Arabes** ont été les plus influents. Les Phéniciens, les Romains, les Turcs et les Français ont cependant eux aussi marqué le pays de leur empreinte. Il en résulte une grande richesse culturelle que le visiteur découvrira au gré de ses visites, au travers des magnifiques mosquées, des souks ou des ruines de l'Antiquité gréco-romaine.

Depuis son indépendance en 1956, la Tunisie s'est considérablement modernisée et développée. Elle dispose ainsi aujourd'hui d'une infrastructure relativement sophistiquée. **Tunis**, la capitale, située sur la côte septentrionale du pays, est une ville bouillonnante d'activités. Outre sa fascinante médina entourée de bâtiments coloniaux et d'édifices contemporains, elle offre tout le confort d'une ville moderne.

Avec ses étés chauds et ses hivers doux, la Tunisie peut être appréciée à tout moment de l'année, et la proximité de l'Europe en fait une destination touristique très prisée en hiver.

À NE PAS MANQUER

*** **La médina de Tunis :** le cœur de la capitale.
*** **Dougga :** les vestiges romains les plus impressionnants de Tunisie.
*** **Tabarka :** superbe station balnéaire préservée.
** **La Grande Mosquée de Kairouan**.
*** **Le Sahara :** découvrez le plus vaste désert du monde.
*** **Le musée du Bardo** et ses magnifiques mosaïques.
** **Carthage :** à voir pour la richesse de son histoire.
** **El-Jem** et son spectaculaire amphithéâtre romain.
** **Bulla-Regia :** des villas souterraines uniques.

Ci-contre : *les festivals sont l'occasion de découvrir les talents de cavalier des Tunisiens.*

La Tunisie en bref

Bordée au nord et à l'est par la mer Méditerranée, la Tunisie s'étend le long du littoral septentrional de l'Afrique du Nord entre l'Algérie à l'ouest et la Libye à l'est.

Le pays compte quelque 9 millions d'habitants, dont les trois quarts vivent dans la région côtière et 1,5 million dans la capitale, Tunis.

Avec une superficie de 164 000 km^2 environ, la Tunisie est de loin le plus petit pays d'Afrique du Nord. Son littoral s'étire sur 1 148 km. Le pays présente trois régions distinctes : des montagnes dans le Nord, un plateau de faible altitude ponctué de chotts dans le Centre, et le Sahara dans le Sud.

Lebel-Chambi (1 544 m), à l'ouest de Kasserine, est le point culminant du pays.

LE PAYS

Montagne, littoral et désert

La Tunisie présente une grande diversité de paysages, depuis le **littoral** découpé du Nord jusqu'aux **lacs salés** perdus au milieu des **dunes** onduleuses du Sud. Les collines de grès du Nord s'inscrivent dans le prolongement occidental de l'**Atlas**, une chaîne de montagnes qui court jusqu'à la péninsule du cap Bon. Tapissées de forêts de pins et de vignobles, elles bénéficient d'un climat plus frais que le reste du pays.

Le littoral tunisien se déroule en une longue plage de sable, ponctuée d'affleurements rocheux, dans laquelle se nichent les trois principales baies du pays : le **golfe de Tunis**, le **golfe d'Hammamet** et le **golfe de Gabès**. Au large des côtes surgissent quelques îles, dont certaines sont habitées comme les **îles Kerkennah** et **Djerba** dans le Sud.

Le centre du pays est plat et ne dépasse pas, pour l'essentiel, le niveau de la mer. Une grande partie de la région est parsemée de lacs salés de quelques dizaines de centimètres de profondeur seulement, les **chotts** ; autour, l'aride désert du Sahara court jusqu'aux frontières méridionales de la Tunisie et au-delà. Des **oasis** typiques avec leurs palmeraies irriguées par des bassins d'eau douce, ponctuent le paysage.

Ci-dessous : *les paysages à perte de vue du Sahara sont un enchantement pour les visiteurs.*

Mers et rivages

Le littoral tunisien le long de la mer Méditerranée bénéficie d'un climat doux toute l'année. Les plages, de sable pour la plupart, et la terre qui s'enfonce doucement dans la mer, contribuent à maintenir la température de l'eau à un niveau relativement élevé une grande partie de l'année. À noter, toutefois, la présence de promontoires rocheux, au **cap Bon**, et autour de **Tabarka** dans le Nord. Très prisée tant des Tunisiens que des touristes étrangers en été, la bande côtière abrite la plus forte densité de population.

Dans le sud du pays, des champs pétrolifères en mer, comme celui de **Bouri**, sont en cours d'exploitation, tandis que d'autres vont être bientôt ouverts à la prospection.

Ci-dessus : *À Hammamet, la blancheur des maisons contraste avec le bleu de la mer.*

Les chotts

Situés au centre de la Tunisie, ces vastes lacs salés, peu profonds, couvrent d'immenses étendues. Le plus grand, le **chott-el-Djerid**, est traversé par une chaussée accessible à la circulation automobile. En hiver, lorsque le niveau de l'eau est élevé, les chotts forment des étendues marécageuses instables, tandis qu'en été leur surface se durcit et se cristallise dans un blanc éclatant, rendant possible la pratique du char à voile. Ces étendues aussi plates qu'un bol de lait sont souvent à l'origine de mirages dans le miroitement des brumes de chaleur.

Climat

Le climat varie du Nord au Sud. La partie **septentrionale** du pays jouit d'un climat **méditerranéen**, tandis que dans le **Sud saharien** la chaleur peut être intense et sèche. Le long du littoral, des brises marines tempèrent la chaleur du plein été, bien que les températures puissent dépasser les 30 °C. Dans le

ENVIRONNEMENT

Au cours de ces dernières années, la Tunisie n'a pas ménagé ses efforts pour préserver son patrimoine écologique. Six régions naturelles ont ainsi été déclarées **parcs nationaux** et trois autres sont en passe de le devenir. Les six parcs créés sont les suivants :

- Îles de **Zembretta** et de **Zembra** dans le golfe de Tunis ;
- **Ichkeul**, près de Bizerte (montagne, lac et marécage) ;
- **Chaambi**, près de Kasserine (forêt de pins et plus haut sommet de la Tunisie) ;
- **Bou-Hedma**, à proximité de Gafsa (dernière savane pré-saharienne) ;
- **Boukomine**, au sud de Tunis (végétation forestière et faune variée) ;
- **Feija**, près de Ghardimaou dans le Nord (forêt de chênes et de lièges abritant des orchidées rares).

Ci-dessus : *avant l'essor du tourisme, nombre de Tunisiens vivaient de la récolte et de la vente des succulentes dattes Deglet Nour, universellement appréciées, fournies par l'humble palmier-dattier.*

désert, les températures grimpent à 40 °C et plus durant les mois d'été.

Durant les mois d'hiver, le littoral bénéficie d'un climat doux entrecoupé de pluies et d'orages. Dans le désert, si les températures diurnes sont élevées, elles chutent rapidement la nuit – parfois en dessous de 0 °C.

La faune et la flore

Le palmier est le symbole de l'Afrique du Nord. Dans les oasis du désert, le palmier est souvent la seule culture productive, et des villages entiers ont vécu, par le passé, seulement de la culture et de la récolte des dattes.

Coiffé d'un panache de feuilles pennées, le **palmier-dattier** au tronc élancé et rugueux peut atteindre 18 m de hauteur. Les arbres femelles sont dotés d'un grand nombre d'épis ramifiés portant entre 200 et 1 000 dattes chacun. Un régime de dattes peut peser jusqu'à 12 kg, et un arbre peut produire chaque année jusqu'à 270 kg de dattes. L'arbre commence à donner des fruits à partir de huit ans. Il atteint sa maturité à 30 ans et son déclin s'amorce à 100 ans. Les dattes contiennent 40 % d'eau, 58 % de sucre et 2 % de graisses, protéines et minéraux.

Parmi les arbres et arbustes figurent l'**acacia**, le **laurier-rose**, le **tamaris** et l'**eucalyptus**. Au printemps, les régions côtières et d'altitude se couvrent de fleurs, notamment d'**orchidées sauvages**, de **narcisses** et de **crocus**. Introduite à l'origine pour former des haies, l'omniprésente **figue de Barbarie** pousse à présent de manière anarchique. Les deux principales cultures du pays sont celles des **olives** et des **dattes**, suivies de près par les **agrumes**, les **figues**, le **raisins** et le **blé**, qui pousse dans le Sahel.

Dans le nord du pays, les forêts de pins d'Alep et de chênes-lièges fournissent du

CLIMAT	TUNIS				GABÈS				GAFSA			
	HIV.	PRIN.	ÉTÉ	AUT.	HIV.	PRIN.	ÉTÉ	AUT	HIV.	PRIN.	ÉTÉ	AUT.
	JAN.	AVR.	JUIL.	OCT.	JAN.	AVR.	JUIL.	OCT.	JAN.	AVR.	JUIL.	OCT.
Temp. moyennes °C	14	21	32	25	16	23	32	27	14	25	38	27
Heures de soleil/j.	10	11	14	11	10	13	14	11	10	13	14	11
Précipitations en mm	64	36	3	51	23	10	0	31	18	15	3	13

bois de construction et du **liège** (dont on se sert pour confectionner des bouchons).

De nombreuses espèces d'**animaux sauvages** ont été les victimes d'une chasse intensive. La gazelle, le lion, la panthère, l'oryx, le mouflon, le babouin et la hyène ont disparu depuis longtemps. On trouve, néanmoins, encore quelques **mammifères sauvages**, comme le **fennec**, le **sanglier**, le **porc-épic** et le **renard**. Des réserves ont été créées, où l'on peut voir des **autruches**, autrefois largement répandues en Afrique du Nord. Parmi les **mammifères domestiques** figurent notamment **dromadaires**, **moutons**, **chèvres** et **ânes**. Dans le nord du pays, les vaches sont élevées pour leur viande et leur lait.

Lézards et **serpents** sont légion. Certaines espèces sont venimeuses comme la **vipère à cornes**. De nature craintive, ces petites bêtes ne risquent guère de vous mordre.

De nombreuses espèces d'**oiseaux migrateurs** ont été dénombrées en Tunisie et le spectacle de centaines de **flamants roses**, rassemblés au printemps dans les chotts peu profonds, est inoubliable. Les ornithologues amateurs pourront observer **spatules**, **avocettes élégantes**, **chevaliers**, **bécasseaux variables**, **chevaliers gambettes** et **bécasseaux**. Dans l'arrière-pays, vous pourrez voir (et entendre) **alouettes**, **traquets**, **roselins githagines** et **alouettes à huppe fasciée**. Le meilleur moment pour observer les oiseaux est le début de matinée ou de soirée.

LE FENNEC

Ce petit **renard du désert** au manteau clair, natif d'Afrique du Nord et d'Arabie, peut vivre pendant de longues périodes sans eau, se nourrissant de petits rongeurs, lézards et oiseaux.

Le fennec se distingue par ses oreilles surdimensionnées qui lui confèrent un aspect très attachant, proche de celui adopté dans les dessins animés. Il est rare de l'apercevoir en journée car il dort dans des galeries creusées dans le sable et attend la nuit pour chasser lorsque l'air est plus frais.

Ci-dessous : *jusqu'à la fin du XXe siècle les gazelles étaient nombreuses dans le Sahara. Des programmes d'élevage en captivité visent actuellement à accroître la population des gazelles avant de les remettre en liberté.*

AU DÉBUT...

On pense que les premiers êtres humains s'installèrent en Afrique du Nord voilà un million d'années environ. Les traces d'habitation les plus anciennes datent du début du **paléolithique**, il y a 500 000 ans. À cette époque, le Sahara était fertile, et la verte savane riche en gibier. S'ensuivirent des mutations climatiques oscillant entre temps sec et humide.

Voilà 40 000 ans, à la fin du paléolithique, naquit la culture des **Atériens**, dont la péninsule du cap Bon a conservé des traces. Entre 13 000 et 5 000 av. J.-C., deux grands groupes culturels se distinguent : celui des **Ibéro-maurusiens** qui se développe le long du littoral septentrional, et celui plus connu des **Capsiens** dont on a retrouvé des objets d'artisanat à Gafsa.

À partir du 5e millénaire av. J.-C., la culture **néolithique** plus avancée fait son apparition en Afrique du Nord, et des signes de contact entre les peuples de part et d'autre de la Méditerranée ont subsisté jusqu'à nos jours.

HISTOIRE EN BREF

Le pays qui forme aujourd'hui la Tunisie a été occupé pendant au moins six mille ans par des tribus **berbères**. Les traces des premières habitations humaines remontent toutefois beaucoup plus loin. Les premiers objets d'origine humaine datent de 200 000 ans. L'**homme de Néandertal** a également laissé des traces sous forme d'outils en pierre datant de 70 000 à 40 000 ans environ.

Pendant trois millénaires, les tribus berbères ont mené une existence semi-nomade organisée autour de la chasse et de la cueillette, jusqu'à la venue d'une deuxième vague de colons préfigurant l'entrée de la Tunisie dans l'histoire.

Les Phéniciens

Dès le Ier millénaire av. J.-C., les marchands phéniciens originaires de l'est de la Méditerranée s'imposèrent comme de fabuleux marins. Ils transportaient par bateau le fruit de leur commerce entre Atlantique et Levant et établirent des mouillages sûrs le long des côtes. Ces ports d'attache, qui ne constituaient au début que des escales, devinrent rapidement des lieux d'habitation à part entière. En se développant, ils donnèrent naissance à des villes, dont la plus importante est **Carthage**.

Avec le temps, les mariages mixtes entre Phéniciens et Berbères se multiplièrent. Les premiers diffusant leur culture, leur langue et leur alphabet – ainsi que leurs nom-

À droite : *les vestiges puniques de Carthage évoquent la tragique destruction de cette ancienne grande cité. Comme en atteste ce chapiteau sculpté avec recherche, la zone résidentielle donnant sur la Méditerranée était jadis jalonnée de luxueuses villas.*

breuses compétences – parmi la population locale. Leur expansion se poursuivit jusqu'en 550 av. J.-C., date à laquelle les **Grecs** commencèrent à remettre en cause leur suprématie maritime. Les Phéniciens durent céder le Liban aux **Babyloniens** et, pour protéger leurs intérêts, formèrent une ligue de cités conduites par Carthage.

Les **Carthaginois** devinrent ainsi la force dominante sur le pourtour occidental de la Méditerranée, mais leur prééminence ne devait guère durer. En 480 av. J.-C., les Grecs lancèrent une campagne et repoussèrent les Carthaginois vers l'intérieur, plus au sud, où ils s'employèrent à développer des routes commerciales vers l'Afrique profonde. En 410 av. J.-C., les Carthaginois regagnèrent leurs terres et constituèrent une armée pour lutter contre les Grecs en Sicile, mais leur victoire fut de courte durée. Les révoltes berbères et les batailles incessantes contre les Grecs les affaiblirent considérablement.

Parallèlement, les Romains commencèrent à s'imposer dans la région ; et leur volonté d'étendre leur empire à la Sicile les conduisit à entrer en conflit avec leurs anciens alliés carthaginois. Le conflit autour de la Sicile dégénéra et la première guerre punique éclata en 263 av. J.-C. pour s'achever en 241 av. J.-C. par une attaque des Romains sur le sol tunisien. Ils débarquèrent au cap Bon et déclenchèrent une nouvelle révolte berbère à laquelle fit suite le siège de Carthage. La bataille navale de 242 av. J.-C. marqua un tournant puisque les Carthaginois capitulèrent devant les Romains.

Deux nouvelles guerres puniques s'en suivirent : la première entre 241 et 202 av. J.-C., au cours de laquelle **Hannibal** lanca sa célèbre attaque qui l'amèna à franchir les Alpes à dos d'éléphants, et la seconde entre 149 et 146 av. J.-C., qui se termina par la destruction totale de Carthage et le massacre ou la mise en esclavage des Carthaginois. Sur les ordres du général Scipion, du sel fut répandu sur la terre afin de l'assécher, empêchant la cité, maudite, de renaître de ses cendres.

Ci-dessus : *ce tombeau punique, extrêmement rare, est conservé au musée de Carthage.*

Les marins phéniciens

Au cours du premier millénaire av. J.-C. les Phéniciens inaugurent la première grande vague d'exploration, et leurs extraordinaires compétences en tant que navigateurs leur valent rapidement de dominer la Méditerranée. Leurs premières colonies sont des ports où les commerçants jettent l'ancre pour une ou deux nuits. Ces mouillages précieux sont d'abord gardés secrets, puis se transforment en colonies permanentes. **Carthage**, qui comptait au nombre de ces colonies, se développe au point de s'affranchir de sa patrie, la **Phénicie** (actuel Liban).

Les navigateurs phéniciens auraient été les premiers à se diriger grâce à l'**étoile Polaire**, ce qui leur permit de dépasser les frontières de la Méditerranée. On retrouve en effet des signes de l'influence phénicienne en Inde, au Sri Lanka ainsi qu'en Cornouailles, aux Canaries et dans les Açores. Ils auraient même fait le tour du continent africain au cours d'une mission qui dura trois ans.

Ci-dessus : *le magnifique amphithéâtre romain d'El-Jem témoigne de la très grande richesse de l'Afrique romaine vers le IIe siècle apr. J.-C. Dans l'arène, des dizaines de milliers de spectateurs venaient régulièrement assister aux nombreux combats de fauves qui s'affrontaient ou affrontaient des gladiateurs.*

Les Romains

Après la chute de Carthage, la Tunisie devint une province romaine et 24 ans seulement après la destruction de la cité, le Romain **Caius Gracchus** proposa de fonder une nouvelle Carthage. L'« éternelle malédiction » fut en définitive de courte durée. Ce ne fut pourtant qu'après l'annexion des anciens territoires carthaginois et la consécration d'**Utique** comme nouvelle capitale de la province que Carthage fut réhabilitée comme cité romaine.

La colonie romaine d'**Africa Nova** se montra dans l'ensemble paisible. Une fois la révolte des rois berbères réprimée et les terres unifiées, la colonie fut placée sous le contrôle du Sénat et totalement intégrée à l'Empire romain. À l'instar d'autres régions d'Afrique du Nord comme la Libye et l'Égypte, Rome en vint rapidement à dépendre du blé cultivé sur le sol tunisien pour alimenter son empire. D'autres produits comme le vin et l'huile d'olive, ont également assuré la fortune et l'importance de l'Africa Nova.

Au cours du premier siècle apr. J.-C., les Romains construisirent nombre d'impressionnantes cités dans ce qui est aujourd'hui la Tunisie : Dougga, Bulla-Regia, Thuburbo-Majus, Sbeïtla et, bien sûr, Karthago, sur le site de Carthage. De plus petites villes surgirent par centaines et des routes

Repères chronologiques

814 av. J.-C. Fondation de Carthage par des colons phéniciens.
146 av. J.-C. Destruction de Carthage par les Romains et création de la province de l'Africa Proconsularis (Afrique proconsulaire).
312 apr. J.-C. Conversion au catholicisme de l'empereur Constantin.
439 apr. J.-C. Prise de Carthage par les Vandales.
533 apr. J.-C. Éviction des Vandales par le général Bélisaire agissant pour le compte de l'empereur Justinien.
670 apr. J.-C. Première vague d'invasions arabes et fondation de Kairouan.
698 apr. J.-C. Parachèvement de la conquête arabe, signant un nouvel âge d'or sous le règne des Aghlabides.
739 apr. J.-C. Révolte des tribus berbères contre l'autorité arabe.
915 apr. J.-C. Domination des Fatimides et fondation d'une nouvelle capitale, Mahdia.
1520-80 Suite à la guerre opposant les Habsbourg aux Ottomans, la Tunisie est dominée par les Ottomans.
1705 Création de la dynastie husseïnite.
1881 Occupation française en Tunisie suite à une crise financière.
1934 Création du parti Néo-Destour, partisan de l'indépendance.
1956 Indépendance de la Tunisie.
1987 Destitution de Bourguiba par le président ben Ali.

pavées furent créées, dont beaucoup suivent l'actuel tracé des autoroutes. Époque prospère comme en témoigne la superbe collection de mosaïques du musée du Bardo – qui datent de l'âge d'or de l'art de la mosaïque en Afrique du Nord – provenant des villas des riches commerçants. Telle était l'Afrique romaine à son apogée, dirigée par la dynastie des Sévères dont le fondateur, **Septime Sévère**, né à Leptis Magna (actuelle Libye) était lui-même d'origine africaine.

La Tunisie adopta le **christianisme** lorsque celui-ci se répandit dans l'Empire romain. Nombre de Nord-Africains se convertirent malgré les persécutions sans pitié dont ils furent victimes dans les premiers temps. Ainsi deux martyres, **sainte Perpétue** et **sainte Félicité**, furent jetées aux lions dans les amphithéâtres. Le poids du christianisme finit par se faire sentir sur les dirigeants romains d'Afrique du Nord. La nouvelle croyance gagna en importance jusqu'à ce que la mainmise de Rome sur la province soit définitivement brisée au troisième siècle apr. J.-C. suite à l'affaiblissement de la capitale impériale et au renforcement progressif des tribus berbères. Le christianisme se pratiqua alors ouvertement mais ne fut légalisé qu'à partir du règne de **Constantin**, en 333 apr. J.-C.

Les Vandales

Rome devint la proie d'attaques dirigées par des tribus hostiles venues du Nord. Les offensives répétées de l'une d'elles, les Vandales, obligèrent Rome à se replier et, en 429 apr. J.-C., une armée de 80 000 Vandales balayait l'Europe et l'Afrique du Nord jusqu'au détroit de Gibraltar. En 431, la province, à l'exception de Carthage qui résista pendant huit ans, tomba sous leur joug. **Genséric**, leur chef, s'autoproclama roi et mit à mal la structure du pouvoir en place en se servant de Carthage comme base pour le lancement de raids à travers la Méditerranée, au nombre desquels figure notamment le sac de Rome. La domination des Vandales se poursuivit jusqu'en 533, date à laquelle la province devint la cible du général byzantin **Bélisaire** dont l'objectif était de reconquérir l'empire occidental de Rome.

BÉLISAIRE (ENV. 505–565)

Général byzantin, Bélisaire est l'un des « plus grands stratèges militaires » de l'histoire. L'empereur Justinien le nomme aux commandes et Bélisaire se distingue en triomphant d'une armée de **Perses** bien plus conséquente que la sienne. Envoyé en Afrique du Nord en 533 pour combattre les **Vandales**, qui faisaient régner la terreur depuis un siècle, il l'emporte en l'espace d'une année et fait prisonnier le roi des Vandales qu'il ramène à Constantinople. Il s'arroge ensuite d'autres victoires en **Sicile** et dans la **péninsule italienne**.

À la suite à d'intrigues de cour, le général tombe en disgrâce avant d'être rappelé 10 ans plus tard pour réprimer une invasion **bulgare** contre Constantinople. Accusé de complot, il est emprisonné en 562, mais parvient néanmoins à finir sa vie en paix.

Ci-dessous : *les Romains excellaient dans l'art de la mosaïque, comme en témoigne le raffinement de ces compositions représentant les quatre saisons entourées de scènes animalières.*

La main de Fatima

Le symbole de cette main ouverte est visible dans tout le Moyen-Orient ainsi qu'en Afrique du Nord, tant en bijouterie qu'en architecture et en poterie. Mais qui était donc Fatima ?

Fille tendrement chérie du prophète **Mahomet** et de **Khadija**, sa première épouse et femme préférée, Fatima est mariée à **Ali ibn Abu Talib**, cousin de Mahomet, dont elle eut deux fils, **Hassan** et **Hussein**. Les imams chiites descendent tous de la lignée de Fatima. Désireuse d'attirer l'attention sur son ascendance et de légitimer ses prétentions au titre d'**imams chiites**, la dynastie des ismaïliens originaire d'Afrique du Nord (901-1171) devient celle des **Fatimides**.

Fatima est très respectée de tous les musulmans et les chiites continuent de célébrer les anniversaires de sa naissance et de son mariage.

Les Byzantins

Avec l'essor de l'Empire romain d'Orient, alors établi à Byzance, les jours des Barbares étaient comptés. Le célèbre général Bélisaire mit le cap sur la Sicile pour reprendre l'île aux **Ostrogoths**, avant de s'emparer de l'Africa. En deux batailles décisives seulement, les Vandales perdirent leur suprématie. La longue résistance des tribus berbères de l'Intérieur s'avéra plus difficile à briser, mais finit néanmoins par être maîtrisée.

S'ensuivit une période de prospérité et d'expansion, marquée par l'édification de nombreuses **églises** à Carthage, et la restauration de sa zone portuaire destinée au commerce. Pendant un siècle et demi, la Tunisie fut ainsi placée sous le contrôle du lointain Empire byzantin.

En 646, le **patrice Grégoire** déclara l'indépendance de la province vis-à-vis de Byzance, mais un an plus tard à peine, toute l'Afrique du Nord tombait sous la coupe des Arabes lancés dans une vague de conquêtes qui devait à jamais changer le visage de l'Afrique du Nord.

Les Arabes

Après le décès du prophète **Mahomet** à Médine en 632 apr. J.-C., l'islam se répandit à travers la péninsule arabe et, au cours de la décennie suivante, ses héritiers s'engagèrent dans une période de conquêtes. Ils commencèrent par la Syrie, l'Égypte et la Perse avant de regarder rapidement vers l'Africa. En 647, une garnison envahit la Tunisie et triompha de l'armée de Grégoire à **Sbeïtla**. Ce ne fut toutefois qu'entre 694 et 698 que les Arabes finirent par se rendre maîtres des lieux, fixant leur capitale à **Kairouan** et désignant un émir.

À droite : *au IXe siècle, la dynastie raffinée des Aghlabides compte des ingénieurs de talent qui construisirent ces réservoirs circulaires près de Kairouan, dont deux fonctionnent encore après leur restauration en 1969.*
Ci-contre : *la subtile décoration de l'intérieur du dôme de la mosquée du Barbier à Kairouan témoigne du penchant prononcé des Ottomans pour l'ornementation.*

Malgré la révolte des Berbères contre les nouveaux envahisseurs, les Arabes connurent un âge d'or sous le règne des **Aghlabides**. Ils développèrent l'agriculture et introduisirent de nouvelles cultures originaires d'Orient. La route du commerce transsaharienne paracheva leur fortune en leur procurant or et esclaves. Leur influence culturelle fut durable : au moment de leur chute, la plupart des habitants du pays parlaient arabe plutôt que berbère.

À cette époque, le monde musulman était déchiré par des dissensions entre groupes distincts. L'un des plus extrémistes, le groupe des **chiites ismaïliens**, affirmaient que les descendants d'Ali (époux de **Fatima**, fille du Prophète) étaient en droit de devenir califes (dirigeants suprêmes du monde islamique). Les Fatimides, tels qu'ils furent appelés par la suite, entamèrent leur conquête par la Tunisie, et leur chef s'établit à **Mahdia**. Après la conquête de l'Égypte, ils choisirent Le Caire pour capitale en 973, et cédèrent la Tunisie à leurs alliés les **Zirides**.

Pendant les quatre siècles suivants, les mouvements de rébellion des tribus locales et les querelles intestines continues entre tribus arabes rivales se poursuivirent par intermittence. Au cours de la dernière partie du règne de la **dynastie hafside**, la Tunisie renoua des relations commerciales nombreuses avec l'Europe. L'État commerçant qui émergea à cette époque, avec pour capitale **Tunis**, ressemblait de près à l'actuelle Tunisie.

Cette période de relative stabilité prit fin lorsque la Tunisie décida de prendre part au conflit qui opposait l'Espagne chrétienne – qui avait récemment chassé les Maures – aux Turcs qui venaient de s'emparer de Constantinople. La lutte fut féroce, mais les **forces turques ottomanes** finirent par l'emporter et l'Afrique du Nord entra dans une longue période de domination ottomane.

L'ÉCRITURE ARABE

L'écriture arabe est une forme d'écriture extrêmement décorative qui se lit de droite à gauche. Les calligraphes ont perfectionné l'art d'intégrer cette écriture à de nombreux éléments décoratifs. Le **diwanî**, fluide et complexe, et le **coufique**, géométrique et angulaire, sont les deux principales graphies utilisées. Dès les premiers jours de l'islam, l'écriture arabe et la géométrie remplacent l'art figuratif, prohibé, la représentation de figures vivantes étant interdite. On la retrouve comme élément décoratif sur les édifices, les poteries et les objets d'art, conférant aux œuvres arabes un style particulier.

Les Turcs

Le règne de l'Empire ottoman, qui devait s'étendre de 1574 à 1704, modifia considérablement la donne en Afrique du Nord et au Moyen-Orient. Les Ottomans y apportèrent leur administration, leur culture et leur architecture. Musulmans sans être arabes, ils firent de la Tunisie une régence du **sultan**. Ce dernier mit en place un système complexe de **pachas** nommés par ses soins et partageant leur pouvoir avec les **deys** (commandants militaires) et les **beys** (administrateurs civils). Une lignée de beys, la famille **mouradite**, s'empara rapidement du pays.

Au milieu du XVIIe siècle, les négociants **européens** furent de nouveau autorisés à séjourner dans le pays. En 1659, les Français furent les premiers à installer un consulat dans la médina de Tunis, mais l'économie restait aux mains des corsaires qui pillaient sans relâche les navires croisant en Méditerranée.

Les Mouradites furent rapidement renversés par la **dynastie husseïnite** des beys qui se maintint au pouvoir jusqu'en 1881, conférant une large autonomie à la Tunisie et relâchant les liens qui l'unissaient au sultan. Le pays prospéra grâce aux butins de la piraterie jusqu'au début du XIXe siècle, où la **marine américaine** lança des raids contre Tunis et d'autres villes barbaresques, mettant un terme à ce commerce lucratif.

La Tunisie se retrouva alors plongée dans une crise financière et ses dettes s'accumulèrent. Ses principaux créanciers – la France, l'Italie et la Grande-Bretagne – nourrissaient des ambitions impérialistes en Afrique du Nord. En 1830, la France s'empara de l'Algérie voisine et, en 1881, négocia un traité avec le bey de Tunis, qui fit de la Tunisie un protectorat **français**.

LES PIRATES

Fléau de la Méditerranée et au-delà, les **corsaires** des côtes de Barbarie se rendirent tristement célèbres entre le XVIe et le XIXe siècle. La piraterie se développa suite au triomphe en Espagne des **chrétiens** sur les **Maures musulmans**, qui s'enfuirent en Afrique du Nord, et à l'établissement ultérieur de cités quasiment indépendantes de l'autorité du sultan. Attaquant les navires, les pirates réduisaient leurs prisonniers à l'esclavage et s'emparaient du butin. Objet de représailles contre l'Espagne, leurs incursions se transformèrent rapidement en une lucrative entreprise. L'Europe et les États-Unis tentèrent de les éradiquer, mais ils ne disparurent qu'après l'occupation d'Alger par les Français en 1830.

Le protectorat français

Sous le protectorat français, le bey restait en théorie à la tête du pays, mais c'était en fait le général résident français qui tirait les ficelles. Suite à l'immigration française, les anciennes petites fermes tunisiennes furent remplacées par de vastes propriétés coloniales, les agriculteurs du pays devenant des cultivateurs sans terre. Outre les colons français, les Italiens du sud de la péninsule fuyant la pauvreté arrivèrent en nombre.

Cette situation allait faire naître le ferment de la révolte, mais les Français parvinrent à tuer dans l'œuf tout mouvement patriotique, notamment le mouvement des Jeunes Tunisiens pour l'indépendance, maintenant ainsi leur mainmise pendant plusieurs décennies. Au cours des années 1920, toutefois, différents partis nationalistes s'unirent pour former le **Destour**, un parti qui, après avoir été dissous, réapparut à l'occasion de la récession économique des années 1930. Organisé par **Habib Bourguiba**, le parti entretenait des liens avec la gauche et des groupes nationalistes en France, au Maroc et en Algérie. La **Seconde Guerre mondiale** mit provisoirement un terme à l'élan nationaliste, et la Tunisie devint un élément important des opérations militaires de l'Axe, à l'instar des autres pays d'Afrique du Nord. Après la capitulation des puissances de l'Axe, la Tunisie fut restituée au gouvernement français libre qui fit arrêter les prétendus sympathisants fascistes et déposa le bey. Loin d'être populaires au sein de la population tunisienne, ces mesures donnèrent un nouveau souffle au mouvement nationaliste.

LA NAISSANCE D'UNE NATION

Le mouvement de rébellion tunisien contre l'autorité coloniale s'amorce à la fin du XIXe siècle lorsque le vide créé par la dislocation de l'**Empire ottoman** inspire à la population des idées d'indépendance et de démocratie. Dans les années 1880, la Tunisie est convoitée par la Grande-Bretagne, la France et l'Italie. Les **Français** finissent par l'emporter. Les beys étant placés sous le contrôle des Français, les Tunisiens commencent à formuler des revendications pour obtenir davantage de pouvoir au sein du gouvernement. Malgré le soutien apporté à la France durant la Seconde Guerre mondiale, la marche contre le colonialisme est devenue inévitable.

Les troubles politiques et les exigences en faveur du partage du pouvoir qui s'ensuivent se muent progressivement en mouvement pour l'indépendance. Les Français cèdent à regret leur pouvoir en Tunisie mais, en position de faiblesse à la fin de la Seconde Guerre mondiale, finissent par accorder sa totale **indépendance** à la Tunisie. La république est alors déclarée.

Ci-contre : *au cours de la Seconde Guerre mondiale, l'Afrique du Nord est le théâtre d'âpres batailles, et une série de combats sont menés en Tunisie entre novembre 1942 et mai 1943.*

Ci-contre : *bien qu'estompées, les influences de l'art nouveau français sont nombreuses en Tunisie.*

L'ART DU CARREAU

Dans toute l'Afrique du Nord, les carreaux de faïence émaillée sont devenus un élément essentiel des édifices tant religieux que civils. Ils sont décorés de motifs géométriques complexes, à l'origine élaborés dans l'Andalousie maure, où ils se sont développés au fil des siècles. Suite à la prise de l'Espagne par les chrétiens, nombre d'Andalous ont immigré vers certaines régions d'Afrique du Nord, emportant leur savoir-faire avec eux. Les bleus et verts éclatants utilisés font des carreaux de faïence d'attrayants souvenirs. Il est possible d'acheter un seul carreau ou tout un panneau pour orner une maison.

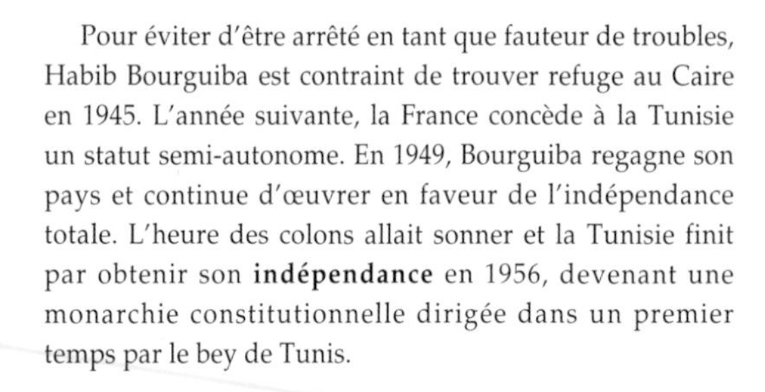

Pour éviter d'être arrêté en tant que fauteur de troubles, Habib Bourguiba est contraint de trouver refuge au Caire en 1945. L'année suivante, la France concède à la Tunisie un statut semi-autonome. En 1949, Bourguiba regagne son pays et continue d'œuvrer en faveur de l'indépendance totale. L'heure des colons allait sonner et la Tunisie finit par obtenir son **indépendance** en 1956, devenant une monarchie constitutionnelle dirigée dans un premier temps par le bey de Tunis.

L'indépendance

Habib Bourguiba forme la première assemblée et organise des élections. Le bey est destitué et une constitution **républicaine** adoptée. Surnommé « le père de la nation », Bourguiba devient le premier président de la Tunisie. Craignant des représailles contre les Français, nombre d'anciens colons fuient le pays, avec leurs compétences et leurs capitaux. Les tensions entre la France et la Tunisie montent et, après une brève accalmie en 1960, finissent par se transformer en un combat violent lorsque la France refuse de retirer son navire de la base de **Bizerte**. Le siège est finalement levé, faisant 1 300 blessés parmi les Tunisiens. Les deux parties acceptent le cessez-le-feu décidé par l'ONU. En 1963, la France cède Bizerte à contrecœur.

Au cours des années 1960, la Tunisie se rapproche du monde **arabe**. Les relations ainsi nouées donnent lieu à de nouveaux problèmes. Lorsque Bourguiba propose un règlement pacifique du conflit opposant **Israël** aux États arabes en 1965, il est rejeté par les deux parties. Les relations de la

Ci-contre : *depuis la naissance des voyages à forfait au cours des années 1960, le tourisme a un impact énorme sur la Tunisie.*

Ci-contre : *durant les années 1970, Habib Bourguiba s'est employé à développer l'économie du pays : la Tunisie compte aujourd'hui au nombre des premiers pays producteurs de phosphate et d'autres produits miniers.*

Tunisie avec les pays arabes s'en ressentent, notamment avec l'Arabie Saoudite et l'Égypte.

Durant les années 1970, Habib Bourguiba s'emploie à développer l'économie du pays. Pour avoir accueilli **Yasser Arafat** et plusieurs centaines de membres de l'OLP chassés du Liban en 1982, il provoque toutefois le courroux d'Israël qui lance une attaque aérienne en 1987.

La même année, Bourguiba, vieillissant et devenu plutôt sénile, se voit contraint de se retirer. Il est remplacé par son Premier ministre du moment, **Zine al-Abidine ben Ali**, qui lance différentes réformes, libérant les prisonniers politiques, légalisant les parties d'opposition et levant les restrictions qui pesaient sur la presse. Les élections libres qui suivent voient le triomphe du parti du président Ben Ali qui remporte tous les sièges au parlement.

Au cours des années 1990, Ben Ali se voit contraint de composer avec un courant **fondamentaliste islamique** en plein essor, qui lui reproche son soutien continu au gouvernement algérien. À diverses occasions, les problèmes propres à l'Algérie franchissent les frontières tunisiennes en signe de protestation contre la politique anti-fondamentaliste du président tunisien. Un parti politique islamique tunisien, appelé **Hizb al-Nahda** s'est ainsi vu refuser l'autorisation de participer aux élections tant qu'il n'aurait pas défini de politiques sociales.

BOURGUIBA

Dans chaque ville tunisienne, au moins une rue porte le nom d'Habib Bourguiba et un buste ou une statue lui est dédié. Né en 1903 à Monastir, il fait ses études à l'université de Paris. En 1934, il devient le chef de file du **Néo-Destour** (nouvelle Constitution), **parti** déclaré illégal par le gouvernement français. Bourguiba est emprisonné à plusieurs reprises en raison de ses activités politiques, y compris par les Allemands en 1942. Après la guerre, il continue de mener campagne pour l'indépendance et est de nouveau arrêté. Il finit par négocier un accord attribuant son autonomie à la Tunisie, qui débouche sur l'indépendance du pays en 1956. Devenu président (et par la suite président à vie), il est proclamé **père de la nation**. Il se maintient au pouvoir jusqu'en 1987, date à laquelle il est contraint de se retirer, à l'âge de 84 ans.

GOUVERNEMENT ET ÉCONOMIE

La Tunisie est une **république** indépendante dirigée par un **président** élu, qui est chef de l'État et commandant en chef de l'armée. La Constitution stipule que le président, élu pour cinq ans, doit être **musulman**. Seuls trois mandats consécutifs sont autorisés.

L'administration du pays est régie par l'**Assemblée nationale**, qui comprend 163 membres élus pour cinq ans. L'autorité locale s'exerce par le biais de 23 **gouvernorats** placés sous la houlette d'un gouverneur nommé par le président. Ils se subdivisent en 270 **délégations locales** qui chapeautent principalement les zones rurales.

Agriculture

Depuis des temps immémoriaux, la Tunisie cultive une grande variété de produits agricoles destinés tant à sa consommation intérieure qu'à l'exportation. Dans les régions septentrionale et centrale poussent **blé**, **légumes secs**, **haricots**, **melons** et **agrumes**. À l'origine, les **vignobles** ont été plantés par les Phéniciens, et la vinification demeure une activité importante en Tunisie, bien que les variétés de raisins californiens aient actuellement la préférence. Largement utilisés dans la cuisine tunisienne d'aujourd'hui, **tomates**, **pommes de terre** et **poivrons rouges** ont été introduits par les Espagnols qui les avaient importés des Amériques.

La péninsule du cap Bon peut se targuer de produire un large éventail de fruits, dont la **mandarine**, l'**orange**, le **pamplemousse** et de fruits à chair tendre comme la **fraise**, l'**abricot** et la **pêche**. Dans les oasis du Sud, les **dattes**, et plus particulièrement la variété des Deglet Nour, constituent la principale culture, suivies par les petites **bananes** parfumées et sucrées.

LES OLIVES

Parfaitement adaptée au climat chaud et sec de la Méditerranée, l'olive, *olea europaea*, est cultivée pour sa baie. Originaire de l'est de la Méditerranée, on la récolte tant pour la **consommer** que pour son **huile** délicieuse. Elle contient environ 20 % d'huile, dont la meilleure est l'huile vierge, pressée à froid. L'huile obtenue par extraction à chaud est de qualité inférieure. L'olive se mange mûre (noire) ou non (verte). Les olives mûres sont en fait de couleur bleue et noircissent au moment de la récolte. Le **bois dur** des arbres non productifs est utilisé par les ébénistes et les menuisiers.

Énergie et industrie

Bien que moins riche en pétrole que ses voisins libyen et algérien, la Tunisie n'en possède pas moins de **vastes gisements de pétrole**, et ce secteur joue toujours un rôle important dans l'économie. La production atteint 105 000 barils par jour. Outre les principaux sites de production de Al-Borma, Ashtart, Belli, Ezzaouia, MDL (Makhrouga, Dabbech et Laarich) et Tazerka, il existe différents champs de moindre envergure. De nouveaux gisements ont été découverts dans la région du cap Bon et d'autres s'étendent au-delà de la frontière libyenne. Il pourraient un jour être exploités en commun. À l'heure actuelle, les exportations de pétrole représentent 20 % des exportations tunisiennes vers l'étranger. Les principaux produits miniers sont les **phosphates**, dont la Tunisie est l'un des principaux producteurs au monde, le **gaz naturel**, le **fer**, le **minerai de fer**, le **plomb**, le **zinc** et le **sel**.

Tourisme

Pays à économie mixte, la Tunisie tire du tourisme l'essentiel de ses revenus en devises étrangères. La Tunisie est déterminée à exploiter ses **ressources naturelles** : ses plages de sable, ses vestiges romains et puniques, ses villes et villages. Au début des années 1990, les quelque 3,2 millions de visiteurs ont apporté, chaque année, plus de 680 millions de dollars.

C'est au cours de ces mêmes années que le gouvernement a commencé à se demander comment il pourrait tirer parti des **zones désertiques** à des fins touristiques. D'ambitieux hôtels de luxe et parcours de golf ont ainsi été construits afin d'éloigner les touristes des stations balnéaires.

L'ESSOR DU TOURISME

Le tourisme a changé le visage de la Tunisie, dont il est devenu le premier secteur d'activité. Depuis l'apparition des voyages à forfait dans les années 1960, la Tunisie a attiré un grand nombre de visiteurs. Outre ses beautés naturelles, son climat idyllique et la richesse de son histoire, la Tunisie présente l'avantage de permettre de mêler vacances à la plage et découvertes culturelles.

Le pays s'emploie actuellement à sensibiliser les touristes à une autre de ses facettes : le désert du Sahara. Pour attirer les visiteurs, les villes-oasis du Sud ont construit de nouveaux hôtels et investi dans des infrastructures. Aujourd'hui, 3,7 millions de touristes visitent chaque année la Tunisie, dont 2,2 millions d'Européens, essentiellement des Français, Allemands, Italiens et Britanniques.

Ci-contre : *le piment, l'un des principaux composants de la cuisine tunisienne, pousse en abondance sur les plateaux fertiles du cap Bon, avant d'être vendu frais ou séché sur les marchés.*

Ci-contre : *la Tunisie possède d'immenses plages de sable et de bons hôtels qui répondent à toutes les attentes.*

L'APPEL À LA PRIÈRE

L'un des cinq **piliers de l'islam** est la prière *(salat)* qui se pratique cinq fois par jour. Les visiteurs ne manqueront pas d'entendre les cris du **muezzin** qui, de la mosquée, appelle les fidèles à la prière – dorénavant à l'aide de haut-parleurs situés sur le haut du minaret. Les prières ont lieu à l'aube, à midi, l'après-midi, au crépuscule et deux heures après le crépuscule.

Le musulman n'est pas tenu d'aller à la **mosquée** à chaque prière, sauf le vendredi midi. Le reste du temps, les prières peuvent être accomplies n'importe où. Le rituel des **ablutions** précède la prière et tout musulman doit se laver le visage, la bouche, les mains et les pieds. Au cours de la prière, il doit se tenir sur un **revêtement propre** (un tapis par exemple) tourné vers **La Mecque**.

LA POPULATION

La Tunisie compte quelque 8,5 millions d'habitants, dont la moitié a moins de vingt ans. L'extrême jeunesse de cette population est immédiatement visible, y compris par l'observateur occasionnel, car partout courent des enfants. Au cours des dernières décennies, l'**accroissement démographique** a fléchi pour se stabiliser aujourd'hui autour de 2,50 % par an. La **densité démographique** est la plus élevée d'Afrique du Nord, la plupart des gens vivant le long ou à proximité du littoral, et plus de la moitié en zone urbaine. La population de l'intérieur du pays est en revanche très éparse.

Sur le plan ethnique, les Tunisiens sont d'origine **arabe** et **berbère**. Les Berbères, qui colonisèrent la région voilà six millénaires et composaient l'essentiel de la population avant la conquête arabe du VIIe siècle, furent les premiers habitants de l'Afrique du Nord. Il existe aujourd'hui encore des zones isolées, habitées par des Berbères de souche, mais la plupart ont contracté des mariages mixtes au fil des siècles. La plupart des Tunisiens se considèrent arabes tant sur le plan de la culture que de l'ascendance.

Bien que la migration vers les villes au cours des dernières décennies ait changé le visage de la société tunisienne, les **traditions culturelles** n'en restent pas moins très respectées et se perpétuent par le biais des nombreux festivals organisés tout au long de l'année. À l'écart des villes et des principaux sites touristiques, la vie continue de s'organiser autour d'un noyau familial traditionnel uni et d'une agriculture rurale de petite envergure.

Ci-dessous : *en Tunisie, les cafés jouent un rôle social important : les heures s'égrènent à bavarder en buvant thé ou café.*

Dans la Tunisie d'aujourd'hui, les habitants se montrent ouverts et amicaux. Ils ont aujourd'hui l'habitude de côtoyer de nombreux touristes étrangers et font généralement preuve de tolérance vis-à-vis de leurs façons d'être. Dans les régions plus reculées, les mœurs sont toutefois plus conservatrices.

Ci-contre : *au milieu de la foule, le costume coloré de cette femme berbère se remarque – à la tenue entièrement blanche des femmes des villes, les Berbères ont toujours préféré des couleurs plus éclatantes.*

Langue

La langue officielle de la Tunisie est l'**arabe**, mais nombre de Tunisiens parlent couramment **français**, héritage de l'époque coloniale. L'**anglais** et l'**allemand** sont très bien compris dans les régions touristiques.

L'arabe est une langue sémitique importée en Afrique du Nord au VIIe siècle. C'est la langue dans laquelle est rédigé le **Coran**, le livre sacré de l'**islam**. Sa calligraphie, superbe et fluide, apparaît sur nombre de monuments religieux du pays et constitue souvent un élément décoratif que l'on retrouve partout, de l'architecture à la poterie. L'arabe s'écrit de droite à gauche et ne contient pas de voyelles écrites, ce qui rend souvent sa lecture difficile pour des non-arabophones.

Dans certaines zones reculées du Sud, la **langue des Berbères** – le *tifinagh*, continue d'être pratiquée. Cette langue archaïque n'a aucun lien avec l'arabe et rares sont ceux qui peuvent encore la parler, et a fortiori l'écrire.

La langue arabe

L'arabe est une langue **sémitique** liée à l'**hébreu**, à l'**araméen**, et même à l'**amharique**, langue parlée en Éthiopie, bien que l'on pense qu'elle ait eu une existence distincte en tant que langue à compter de 500 av. J.-C. Datant de 3000 av. J.-C., l'**akkadien**, qui a donné naissance au **phénicien**, est la première langue sémitique.

Aujourd'hui, l'arabe est la langue sémitique la plus utilisée. Elle est la langue maternelle de quelque 150 millions d'Arabes. Seule langue du **Coran**, l'arabe est en outre la deuxième langue de millions d'autres musulmans à travers le monde.

Ci-dessus : *à l'abri de la chaleur, la cour ornée de carreaux de faïence de la mosquée du Barbier à Kairouan.*

Religion

La plupart des Tunisiens sont sunnites. L'**islam sunnite** est la principale composante de l'islam, la dernière des trois « religions du Livre » ; les deux autres étant le judaïsme et le christianisme. Les musulmans croient au Dieu unique de l'Ancien et du Nouveau Testament ainsi que dans les prophètes de la Bible. Ils révèrent aussi **Jésus** en tant que prophète mais non en tant que Messie.

La croyance islamique a été révélée au **prophète Mahomet** à La Mecque entre 610 et 632 apr. J.-C. Les paroles divines ont été consignées et constituent le corps du **Coran**, composé de 114 sourates. Apprendre le Coran par cœur est une entreprise extrêmement respectée parmi les adeptes de l'islam.

Sans faire l'objet d'un quelconque fanatisme, les préceptes de l'islam sont largement suivis en Tunisie, notamment durant le mois du **ramadan**. Ce jeûne de un mois s'inscrit dans le calendrier lunaire et débute un peu plus tôt chaque année. Durant le ramadan, les musulmans doivent s'abstenir de boire et de manger durant la journée. Ils ne sont pas non plus autorisés à fumer ni à avoir des relations sexuelles. Une fête de clôture de trois jours en marque la fin.

La composante le plus visible de l'islam est l'appel à la prière que le muezzin répète cinq fois par jour depuis la **mosquée**. Cette voix renferme toute l'atmosphère du monde arabe. Le premier appel à la prière a lieu à l'aube et, si vous dormez à proximité d'une mosquée, son charme risque de se dissiper au bout d'un moment.

Contrairement aux autres pays musulmans, la Tunisie abrite une communauté **juive**. Depuis la création d'Israël, celle-ci s'est réduite et ne compte plus que quelques centaines de fidèles sur l'île de **Djerba**.

LE RAMADAN

Le mois saint du **ramadan** est régi par le calendrier lunaire et commence chaque année environ 11 jours plus tôt que l'année précédente.
Il correspond au mois de la révélation du Coran. À l'occasion du ramadan, les musulmans resserent les liens qui les unissent à Dieu et aux autres croyants formant une communauté. Le jeûne s'achève par l'**aïd Al-Fitr**, une fête qui dure plusieurs jours.

Coutumes traditionnelles

Bien que certaines traditions séculaires soient demeurées intactes, d'autres ont évolué. L'une des principales mutations intervenues après l'indépendance est l'**émancipation des femmes**. Au début des années 1950, les femmes portaient le voile dès leur puberté, n'étaient guère scolarisées et faisaient l'objet de mariages arrangés. En 1960, la polygamie est déclarée illégale et un programme visant à l'éducation des femmes est lancé avec la construction de nombreuses écoles. Les femmes occupent aujourd'hui une place prépondérante dans la vie active.

Les **mariages** constituent aujourd'hui encore un grand événement dans la vie d'une famille. La fête dure souvent une semaine et obéit à un rituel traditionnel : des réunions de famille sont organisées chez la mariée et le marié, avant que la mariée, parée de ses plus beaux atours et maquillée de henné, ne soit conduite dans la maison de son époux.

Le poids de la **famille** dans la vie tunisienne se remarque immédiatement. Plusieurs générations vivent ensemble, formant un foyer unique. Toutefois, dans la capitale et dans les grandes villes, il est de plus en plus courant que les couples s'installent à l'écart de la maison familiale.

Dans les régions rurales et parfois en ville, le **costume traditionnel** est toujours porté. La tenue féminine typique est l'*haïk*, un voile généralement blanc mais qui peut également être noir avec des franges rouges dans le sud du pays. Les femmes s'en drapent, en gardant un pan pour couvrir la tête. Elles portent souvent en dessous des vêtements occidentaux et le retirent lorsqu'elles se trouvent à l'intérieur.

Les hommes appartenant à la classe moyenne portent des vêtements occidentaux, notamment lorsqu'ils sont dans les affaires. Les hommes issus de la classe ouvrière portent généralement veste et pantalon, ainsi que la *chechia*, un bonnet rouge sombre. La *djellaba*, longue et ample tunique sans manches, est également portée. Pour les grandes occasions, comme la circoncision, un costume plus sophistiqué, parfois extrêmement décoré, est revêtu.

LE COSTUME TRADITIONNEL

Lors de vos déambulations à travers les souks, vous découvrirez certains vêtements tunisiens à porter ou à collectionner. Très populaire en hiver, la *chechia* est un **bonnet** en feutre de couleur ou noir. Bien que destiné aux hommes, il peut très bien aller aux femmes. Simples ou richement ornés de fils dorés, les **cafetans** sont idéals pour flâner à la plage ou se démarquer dans les soirées.

Généralement fabriqués en soie et richement brodés, les **gilets** des Tunisiens sont eux aussi très ornés. Les larges **drapés** en laine crème portés en hiver par les hommes sont parfaits comme parures de sofa. Il existe également des versions plus légères pour femmes.

Ci-dessous : *danse très vivante, le raks sharki est exécuté au cours des mariages.*

Les anciennes maisons

L'**intimité** est l'un des éléments clés de la conception des maisons tunisiennes traditionnelles. En parcourant les rues des médinas vous constaterez avec surprise que des façades aveugles, dénuées de fenêtres, donnent sur la rue. Les portes elles-mêmes, avec leurs gros clous décoratifs, s'apparentent davantage au portail d'une forteresse qu'à l'entrée d'une maison particulière.

Pour l'intérieur, il en va tout autrement. La **cour**, généralement ouverte sur le ciel et richement décorée, forme le cœur de la maison. Les pièces sont réparties autour de la cour centrale ; les très grandes demeures peuvent en abriter une seconde. Le hall de réception, où les visiteurs (hommes) peuvent être reçus sans déranger les membres féminins du foyer, constitue un espace de transition entre la rue et l'intérieur de la maison.

En zones rurales, nombre de femmes portent une longue robe appelée *mellia* ; cette sorte de toge se drape autour du corps et s'épingle sur les épaules. À l'instar du chapeau de paille pointu porté à Djerba, la *mellia* est l'héritière des tuniques romaines.

Arts et culture

En Tunisie, les **beaux-arts** bénéficient du soutien du gouvernement. De nombreux **festivals de musique et de théâtre classiques et traditionnels** sont organisés durant l'année. Le festival le plus célébré du calendrier est peut-être le **Festival du film de Carthage** qui a lieu tous les deux ans et se consacre à la promotion du cinéma arabe et africain contemporain. Nombre de cinéastes tunisiens ont acquis une renommée internationale.

S'appuyant sur plusieurs **galeries** de Tunis et de sa périphérie, les arts plastiques sont florissants. De nombreux artistes contemporains ont pour source d'inspiration les modes de vie traditionnels. L'art figuratif moderne ne s'est réellement développé en Tunisie qu'au XXe siècle. Le peintre français, **Paul Klee**, compte parmi ses premiers représentants avec ses scènes de la vie tunisienne peintes dans le style cubiste. La peinture tunisienne actuelle offre une synthèse dynamique des styles islamiques et occidentaux.

Ci-contre : *joueur de tablah dans un orchestre traditionnel à l'occasion de l'un des nombreux festivals organisés tout au long de l'année. Les récitals sont populaires et le spectacle peut durer plusieurs heures, car la musique est en partie improvisée.*

Ci-contre : *les portes et volets d'un bleu profond comptent parmi les éléments caractéristiques de l'architecture tunisienne.*

Architecture

De la Tunisie, les visiteurs retiennent avant tout l'image de bâtiments d'un blanc aveuglant avec volets et portes d'un bleu de cobalt. Utilisée à l'origine comme produit naturel pour repousser les insectes, la peinture bleue est devenue un élément architectural à part entière. Pour **embellir** les maisons, des **grilles** décoratives viennent orner les fenêtres, et des **carreaux de faïence** de couleurs vives sont couramment employés comme revêtement des sols et des murs.

Les Tunisiens continuent d'utiliser nombre d'éléments architecturaux traditionnels, n'hésitant pas à recourir à de fausses **colonnes** classiques coulées dans du béton pour soutenir leurs terrasses et aménager leurs cours. Dans certains bâtiments anciens, ces colonnes sont authentiques. Ce sont des colonnes romaines ornées ultérieurement de motifs islamiques. Un excellent exemple nous est fourni par la Grande Mosquée de **Kairouan**, où alternent des dizaines de colonnes en marbre généralement d'origines diverses, mais du plus bel effet.

L'architecture tunisienne traditionnelle suit un schéma de base qui, autour d'une **cour** ouverte, fait s'organiser les chambres, les cuisines et les réserves. C'est dans cet espace privé que jadis les femmes vivaient et travaillaient. Les plus vastes demeures abritent un hall où les visiteurs pouvaient être reçus sans déranger les femmes. Les édifices publics reproduisent ce plan sur une plus grande échelle.

La musique

La musique arabe s'ouvre à un plus large public, notamment grâce à la popularité croissante de la *world music*. Cette musique, dont la tradition remonte au premier empire islamique, repose sur une rythmique complexe. En dehors de la voix, les instruments les plus importants sont le **oud** (une sorte de luth), le **tablah** (un tambour en bois ou en terre cuite), le **nay** (qui s'apparente à une flûte à bec) et le **qanun** (un instrument à corde plat). De nombreux efforts sont déployés pour préserver la musique traditionnelle tunisienne.

L'**architecture des mosquées** a évolué de manière à offrir aux fidèles des espaces de rassemblement pour la prière. Là encore, on retrouve presque toujours une cour ouverte entourée de pièces aménagées pour les ablutions, l'étude et les offices. La salle de prière s'inscrit généralement dans un plan ouvert et abrite un **mihrab** (niche indiquant la direction de La Mecque) et un **minbar** (une chaire) destiné au prêche du vendredi après-midi. La décoration des mosquées peut être très simple ou extrêmement élaborée. Sous les Ottomans, les mosquées étaient richement **décorées** d'incrustations de marbre, de faïence et de motifs en stuc. En zones rurales, les mosquées sont souvent simplement blanchies à la chaux et ornées de tapis tissés.

L'ÉQUITATION

Les Tunisiens sont des éleveurs de chevaux et des cavaliers émérites. Les **barbes**, qui constituent la race locale, étaient très appréciés des Romains, Carthaginois et Byzantins pour leur résistance, leur rapidité et leur docilité. Ils le sont aujourd'hui encore pour ces mêmes qualités. En Tunisie, on trouve également des chevaux **arabes**, pur-sang ou croisés avec des barbes.

Si vous voulez assister à des spectacles équestres, rendez-vous au **festival de Douz** en décembre et au **festival de pur-sang arabes** qui se tient chaque année à **Meknassy**. De nombreux centres équestres ont également été créés à proximité des principales stations touristiques : l'occasion de faire des promenades accompagnées, des randonnées à l'heure ou à la journée.

Artisanat

L'artisanat traditionnel est une activité lucrative en Tunisie grâce à l'intérêt que lui portent les nombreux visiteurs. L'élevage du mouton a ouvert la voie à l'industrie du **tissage des tapis** est liée à l'abondance des moutons dans le pays. Les trois principaux tapis tunisiens sont fabriqués par tissage de la laine vierge : le **kilim** à trame plate, les **tapis à points noués**, et le **mergoum**, à trame plate orné de motifs géométriques. Avec la laine naturelle, on confectionne également des **couvertures** tissées, simples mais élégantes.

La **poterie** est une autre activité artisanale lucrative, notamment sur l'île de Djerba. En simple terre cuite ou ornée de savants motifs, les objets en poterie sont disponibles dans tout le pays. Le **travail des métaux** est également répandu. Les assiettes et plateaux en cuivre décorés sont très prisés. Le travail de l'argent est une spécialité tunisienne, souvent utilisé pour fabriquer des boîtes et des cadres de miroir.

La **broderie** – vêtements et linge de table – est la spécialité d'Hammamet et de Nabeul. On utilise des fils de soie colorés ou des fils d'or brodés sur de la laine, du coton ou de la soie.

Sports et loisirs

Le climat et le vaste littoral permettent la pratique de la voile, de la **plongée** et d'autres **sports nautiques**. Outre ses 26 ports et points d'ancrage, la côte compte quatre marinas. Le long du littoral septentrional et sur la péninsule du cap Bon, la plongée rencontre un succès croissant. En plus de ses 16 clubs de plongée, la Tunisie peut se targuer de posséder certaines des côtes les mieux préservées de la Méditerranée.

Le **golf** n'a pris son essor que depuis quelques années. Situés en bord de mer, dans le désert ou sur l'île de Djerba, il existe aujourd'hui 9 parcours de golf et d'autres sont à l'étude.

Pour les moins sportifs, le pays dispose également de **clubs de thalassothérapie**, pour profiter des bienfaits des massages et des traitements à base d'eau de mer.

PRATIQUE DU CHAR À VOILE

Les vastes étendues salées du **chott-el-Djerid** constituent un endroit idéal pour la pratique d'un sport peu commun en Tunisie : le char à voile. Dans sa forme la plus simple, il s'agit d'un simple dériveur léger monté sur trois ou quatre roues de voiture. La direction est remplacée par un volant et/ou par des pédales. Mesurant jusqu'à 7,3 m de long, les modèles les plus récents ont été conçus pour la vitesse et peuvent transporter trois personnes. Les véhicules propulsés par le vent sont très anciens. En 600 av. J.-C., les **Chinois** mettaient au point des chariots de guerre poussés par le vent, capables de transporter 30 guerriers. Au XVIe siècle, les **Néerlandais** disposaient de chars à voile montés sur des roues en bois. La pratique du char à voile a gagné en popularité après la Seconde Guerre mondiale et les premiers championnats du monde ont eu lieu en 1970.

Ci-contre : *laine de mouton naturelle filée au moyen d'un simple rouet : l'industrie du tapis repose sur le travail de centaines d'artisans qui filent, teignent et tissent la laine.*

Ci-dessus : *Au cap Bon, les sports nautiques attirent tant la population locale que les touristes.*

Ci-contre : *les stages de golf en Tunisie vont bon train ; des projets de création de nouveaux parcours, dont certains situés dans les oasis du désert, sont à l'étude pour attirer davantage de joueurs.*

LES CAFÉS

Dans l'ensemble, les cafés tunisiens traditionnels sont l'apanage des **hommes**. Omniprésents, ils sont faciles à repérer : une foule de clients fumant le **narguilé** se presse autour des tables. Dans ce type de café, on ne sert généralement que des **cafés** arabes (parfumés à la cannelle) et des verres de thé, vert *(akhdar)* ou à la menthe.

Les cafés de style européen sont prisés par les familles tunisiennes et les **femmes** s'y sentiront peut-être plus à l'aise. On y sert en général des **expresso** et **cappucino** ainsi que des pâtisseries. Rester assis à une table en terrasse est un bon moyen d'observer le va-et-vient alentour.

Gastronomie

Si l'Afrique du Nord se distingue généralement par le caractère épicé de ses plats et le singulier mélange de ses saveurs, la cuisine tunisienne, en particulier, présente un degré de raffinement qui en fait un délice pour le visiteur. Outre le bonheur avec lequel les chefs s'emploient à créer des plats complexes et originaux qui restent fidèles à l'esprit de la cuisine nord-africaine, l'**influence française** n'est pas totalement étrangère à cet état de fait.

Le plat national est le **couscous** : des grains de semoule roulés dans la farine puis cuits à la vapeur, accompagnés d'un ragoût de légumes épicé, de viande ou de poisson et parfois de saucisses pimentées. La consommation de porc étant interdite par l'islam, la viande la plus prisée est l'**agneau**, bien que le **poulet** soit également recherché. La Méditerranée offre un large choix de **fruits de mer** ; le thon, notamment, abonde en Tunisie.

Les hors-d'œuvre sont aussi délicieux que variés, et plusieurs sortes de **salades** sont généralement proposées. Au nombre des plats les plus intéressants figurent la *méchouia*, un mélange relevé de légumes grillés, et la *tajine*. Sans rapport avec le ragoût marocain du même nom, la tajine est une sorte de quiche à base de viande et d'œuf, servie froide.

L'une des spécialités à ne pas manquer est le *brik à l'œuf*, un plat typiquement tunisien. Il s'agit d'une fine pâte feuilletée, contenant un œuf et d'autres garnitures, que l'on jette dans un bain d'huile jusqu'à ce que l'œuf soit à point et la pâte croustillante. Déguster ce plat sans se tacher est tout un art.

Les Tunisiens sont très friands de **ragoûts** relevés de cumin, coriandre, cannelle, persil et piments. L'*harissa* accompagne et relève la plupart des plats. Cette pâte est également utilisée en entrée : on y trempe du pain et du thon recouverts d'un filet d'huile d'olive. Parmi les ragoûts originaux, à goûter également la *mloukhia*, de l'agneau cuit dans une sauce épaisse aux herbes séchées. Résultat ? un plat à base d'agneau tendre dans une sauce presque noire.

Ci-dessous : *le déjeuner du vendredi ne saurait être complet sans un plat de couscous fumant. Bien que le couscous ne se mange traditionnellement pas le soir, les restaurants le servent tout de même dans les régions touristiques, afin de répondre à la demande.*

La Tunisie offre une large gamme de délicieuses **pâtisseries** d'inspiration tant arabe que française. Les principaux ingrédients des **desserts** arabes sont le miel, les fruits à coque et les fruits secs enrobés d'une fine pâte feuilletée. La *corne de gazelle*, en forme de croissant, est une pâtisserie extrêmement prisée. En hiver, durant la saison des dattes, des **dattes** fraîches sont servies à la fin de la plupart des repas ou employées pour confectionner pâtisseries ou desserts.

Ci-dessus : *toujours aussi prisés, les vins rosés locaux, servis très frais, se marient avec la plupart des plats tunisiens.*

Vins et bières

La Tunisie pratique la viticulture depuis l'époque romaine ; elle produit notamment de très bons vins blancs secs gouleyants et des rouges fruités. Les principaux sont le **gris-de-hammamet** et le **vielle-magon**. Le rouge est particulièrement recommandé.

Les techniques de production modernes ont amélioré la qualité des vins de manière spectaculaire. Les zones vinicoles les plus importantes sont la péninsule du cap Bon, la région de Tunis, Bizerte et Thibar.

La qualité des vins est contrôlée par l'**Office du vin**, selon un procédé comparable à celui adopté en France. Les vins rouges les plus connus sont les suivants : magon, kahena, côteaux-d'utique, château-mornag, château-thibar et château-feriani. Les blancs sont : blanc-de-blanc, domaine-de-karim, haut-mornag et muscat-de-kelibia. Parmi les rosés les plus intéressants figurent le gris-de-tunisie, le clairet-de-Bizerte et le sidi-rais.

Celtia, la seule bière du pays, est une bière blonde et légère. Des marques d'importation sont également disponibles. Si l'aventure vous tente, goûtez au **boukha**, un alcool local très fort, au goût singulier, généralement dilué.

Aussi économiques que délicieux, les **jus de fruits** pressés frais sont en vente dans les bars ou dans les rues par des marchands ambulants.

POISSONS ET FRUITS DE MER

Les poissons fraîchement pêchés dans les eaux de la Méditerranée figurent en bonne place sur les menus des restaurants tunisiens. Parmi les poissons et fruits de mer les plus courants figurent :
les anchois,
la baudroie,
le calamar,
les coquillages,
les crevettes,
la daurade,
les huîtres,
la langouste,
le loup de mer,
le maquereau,
le mérou,
le pageot,
le poulpe,
la raie,
la rascasse,
le rouget
et le thon.

2
Tunis

Nichée sur les rives d'une lagune où s'évanouissent à l'horizon les flamants roses, **Tunis la Blanche** étincelle sous le soleil de la Méditerranée. Une éblouissante mosaïque de souks et de minarets s'étire dans l'enceinte de la vieille **médina** tandis qu'à l'extérieur, la ville et ses boulevards, ses parcs, ses cafés et ses théâtres, continue de s'étendre.

De toutes les villes nord-africaines, Tunis est peut-être la plus cosmopolite et la plus tolérante, en faisant un point de transition idéal entre l'Orient et l'Occident. Loin de l'habituel tohu-bohu frénétique caractéristique des capitales, Tunis vit à un rythme plus lent et plus décontracté.

Petit port de pêche sur la lagune, Tunis ne fait son apparition dans l'histoire qu'au VIIe siècle. La proximité de la puissante **Carthage** conduit cependant la ville à devenir une base militaire pour les armées assiégeantes. Sur les ordres du chef arabe, **Hassan ibn Numan**, un canal est creusé jusqu'à La Goulette. Tunis devient ainsi, peu à peu, un port important dans le cadre des échanges entre l'Afrique et l'Europe.

La **dynastie des Hafsides** marque l'âge d'or de Tunis. C'est aux XIIIe et XIVe siècles qu'ont été édifiés les grands monuments médiévaux du vieux Tunis à l'intérieur des murs de la médina. La ville constituait alors une immense place commerçante dans le bassin méditerranéen, un lieu de rencontre pour les négociants de l'Orient musulman et de l'Europe chrétienne. Créés à cette époque, à l'instar des *khans* des commerçants, de la **casbah** et des **remparts de la ville**, les **écoles coraniques** *(medersas)* et nombre des **souks** couverts s'ordonnent autour de la **Grande Mosquée**. Au XVe siècle, quelque cent mille personnes vivaient et travaillaient à Tunis.

À NE PAS MANQUER

*** **Grande Mosquée :** l'une des plus somptueuses mosquées d'Afrique du Nord.
*** **Achats dans la vieille médina :** un enchantement pour les yeux et les oreilles.
*** **Sidi-bou-Saïd :** l'un des plus beaux villages que vous serez amené à rencontrer.
** **Dîner à Dar-el-Jeld :** superbe maison ancienne transformée en excellent restaurant.
** **Carthage :** si son nom évoque les fastes de l'histoire, la visualisation de sa splendeur passée requiert un peu d'imagination.

Ci-contre : *le minaret de la Grande Mosquée (Ez-Zitouna) domine la ligne d'horizon de Tunis.*

Au XVIe siècle, Tunis fut endommagée lors du conflit opposant les Ottomans aux Habsbourg. Le corsaire **Barberousse** s'empara de la ville au nom du sultan ottoman en 1534 avant d'en être chassé l'année suivante par l'**empereur Charles Quint**. La ville fut pillée et Tunis devint un simple pion dans une lutte de pouvoir. Les Ottomans finirent par dominer et parèrent la ville de monuments au style inimitable.

Ci-dessus : *l'imposante Bab-el-Bahar (porte de la Mer) sur la place de la Victoire protégeait jadis la ville de la mer. La terre a depuis lors été gagnée sur la lagune et la porte s'est retrouvée dans l'enceinte de la ville.*

Jusqu'à l'époque du **protectorat français**, la vie à Tunis fut dans une large mesure confinée à l'intérieur de la médina ; l'extérieur n'offrant à la vue que de rares et misérables faubourgs. Les Français bâtirent la vaste *Ville nouvelle* à l'extérieur de la médina sur un terrain gagné sur la lagune, édifiant de beaux exemples d'architecture coloniale. Contrastant avec les ruelles sinueuses de la médina, la ville moderne fut conçue selon un plan en damier et abritait 150 000 Européens alors que dans la médina, de plus en plus dégradée, vivaient

Le climat de Tunis

Située dans la région septentrionale du pays, la capitale jouit d'un climat typiquement **méditerranéen**. S'il peut devenir très chaud en plein été, le climat est délicieusement doux une grande partie de l'année. L'hiver est parfois très pluvieux avec des orages.

En plein été, la pollution automobile peut être pénible, mais une brise marine tempère en général l'atmosphère. La proximité des lacs salés génère une forte concentration en rayonnements ultraviolets.

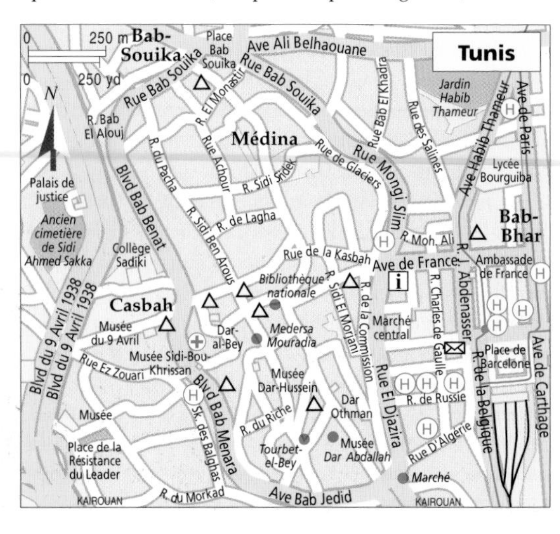

300 000 Tunisiens. Après L'indépendance, nombre de marchands déménagèrent dans la ville nouvelle laissant la médina aux travailleurs migrants. Ces dernières années, toutefois, le gouvernement s'est attaché à préserver la médina.

La **médina** abrite le vieux Tunis, où se côtoient mosquées et souks, *khans* et *medersas*. Elle constitue également le poumon de la ville moderne qui s'enroule autour d'elle. Si les hôtels décents et la plupart des restaurants sont situés dans la ville nouvelle, la médina a l'avantage d'être interdite à la circulation et d'abriter quelques portes *(bab)* le long de son périmètre.

À l'est de la médina s'étendent le **lac de Tunis** et la zone portuaire, à un kilomètre et demi de la place de la Victoire. La principale gare ferroviaire et la poste sont situées au sud de l'**avenue Habib-Bourguiba** qui court d'est en ouest entre la médina et le port. Le **parc du Belvédère** et le **zoo** se trouvent au nord de la ville tandis que le **musée du Bardo** est localisé à l'ouest.

LES MEDERSAS

Originaire de **Perse**, la *medersa*, fondation à caractère religieux généralement rattachée à une mosquée, est introduite en Tunisie au XIe siècle.
Sa conception, qui repose sur l'architecture **sassanide** de l'époque, donne lieu à un nouveau type de mosquée, dotée d'un centre d'étude, qui s'est répandu dans la majeure partie du monde islamique, notamment en Tunisie. La *medersa* abritait à l'origine un **dortoir** pour étudiants ouvrant sur une **cour**. Tunis compte plusieurs medersas, dont la **medersa Bachiya** et la **medersa Achouria,** située dans la médina.

LA MÉDINA

La plupart des visites guidées de la médina partent de **Bab-el-Bahar** (la porte de la Mer), également appelée Porte de France. Avant que la terre soit gagnée sur la lagune pour construire la ville nouvelle, la porte marquait autrefois l'entrée de la ville. C'est ici, place de la Victoire, que la population se retrouve en soirée. Pour goûter à l'atmosphère de la médina, rien de tel que de s'attabler à la terrasse d'un café et d'observer les mouvements de la ville.

Deux grands itinéraires mènent à la médina depuis Bab-el-Bahar. La rue de la Casbah traverse le quartier des édifices publics via la **place du Gouvernement** et la **place de la Casbah**, à l'ouest de la médina. Le **Dar-el-Bey**, ancien palais gouvernemental, est aujourd'hui le siège des bureaux du Premier ministre. Presque en face, se dresse la **mosquée de la Casbah**, construite en 1235 sous le règne hafside en même temps que la casbah elle-même. Dans le même quartier

Ci-dessous : *dîner dans le restaurant Dar-el-Jeld est comme faire une incursion dans le passé. Ancienne demeure de marchand, l'édifice a conservé son style ottoman d'origine. La cuisine y est délicieuse.*

se trouve le **musée du 9 Avril**, consacré à la vie de Habib Bourguiba et à la lutte pour l'indépendance. Cet itinéraire passe par la **mosquée de Hammouda Pacha** (XVIIe siècle) d'influence italienne avec son minaret octogonal construit en 1655. Le mausolée de Hammouda Pacha, à la façade en marbre rose brillant, dépend de la mosquée.

L'autre itinéraire longe la rue Jemaa-Zitouna qui traverse le souk d'est en ouest. Comme c'est l'une des principales artères touristiques dans la médina, elle se trouve bordée de boutiques touristiques en tous genres. En remontant la rue – à gauche – on découvre la **première église** bâtie à Tunis au milieu du XVIIe siècle. Devenue le repaire des dissidents comme des criminels, protégé par les Français, elle était hors de portée des pachas. Cet itinéraire est également jalonné de **casernes** du XVIIIe siècle : celle de **Sidi Morjani** et une autre grande caserne devenue la **Bibliothèque nationale**, dont l'entrée donne sur le souk El-Attarine.

La rue Jemaa-Zitouna mène directement à la **Grande Mosquée**, également connue sous le nom de **mosquée Ez-Zitouna** (la mosquée de l'Olivier) car les Anciens croyaient qu'un olivier poussait à l'endroit où son fondateur enseignait le Coran. Les anciens murs extérieurs proviennent de la Carthage romaine à l'instar des nombreuses colonnes de marbre encadrant la cour. Selon la tradition, ce site abritait à l'origine le temple d'Athénée. Construit au IXe siècle sous les Aghlabides, ce superbe édifice était un centre d'enseignement célèbre – l'une des premières universités au monde – avec plus de 10 000 étudiants. La salle de prière faisait à l'époque également office de salle de conférences. À l'exception d'un minaret situé à l'angle nord-ouest et de la coupole dominant l'entrée – deux éléments qui ont été ajoutés par la suite –, la majeure partie de la mosquée est demeurée telle qu'elle était à l'origine. Aucun enseignement n'y est plus dispensé depuis les années 1960, durant lesquelles les étudiants ont été déplacés vers l'Université nationale de Tunis. Ouvert t.l.j. sauf le ven. de 9 h à 12 h.

LE PLUS ANCIEN RESTAURANT

La médina de Tunis abrite plusieurs vieux restaurants et le **Dar-el-Jeld** compte parmi les plus succulents. Ancienne demeure de marchand à la limite de la médina, les clients au palais délicat pourront y manger à midi ou en soirée. La **cour** principale, couverte, abrite la principale salle de restaurant tandis que les pièces courant le long de la **galerie** supérieure sont à usage privatif. La cuisine, traditionnelle, est préparée par une Tunisienne dont le savoir-faire a permis de redonner vie à de vieilles recettes et aux plats préférés des Tunisiens. Malgré sa splendeur, le Dar-el-Jeld n'est pas extrêmement cher. Il est conseillé de réserver.

Les souks ***

Dans la médina, autour de la Grande Mosquée, s'étendent de nombreux souks couverts, où se pratique notamment le commerce des parfums, du feutre, des épices et de la soie. La plupart d'entre eux ne sont désormais plus représentatifs d'un corps de métier, mais proposent toutes sortes de biens traditionnels et modernes. Au nord-ouest de la Grande Mosquée, le **souk des Chéchias**, du nom des bonnets en feutre ronds qui y sont fabriqués, est resté fidèle à ses origines. Traditionnellement rouge foncé, les chéchias sont désormais produites dans une large gamme de couleurs. Quelques parfumeurs possèdent des échoppes dans le **souk El-Attarine**, parallèle à la rue Jemaa-Zitouna. Guidé par les senteurs, vous n'aurez que l'embarras du choix parmi les nombreuses huiles essentielles et les imitations de parfums célèbres.

Parmi les autres souks intéressants on trouvera le **souk des Étoffes**, avec ses rangées superposées de tissus colorés. Ce souk abrite la **medersa Mouradia**, où les apprentis sont aujourd'hui formés à l'artisanat traditionnel. À proximité, se trouve le **souk El-Trouk** où les couturiers turcs taillaient les vêtements, tandis qu'au-dessus du souk des Étoffes se trouve le **souk Es-Sekkagine** qui abrite plusieurs des plus grandes boutiques de tapis de la médina. Le Palais d'Orient, magnifiquement orné, possède une toiture en terrasse ornée de carreaux de faïence qui fait le bonheur des photographes amateurs, et d'où l'on peut admirer la ville et la Grande Mosquée.

BONNES AFFAIRES

En Tunisie s'est développé un artisanat de bonne qualité offrant de quoi satisfaire tous les goûts et toutes les bourses. L'achat qui s'impose est celui d'un **kilim** aux couleurs vives (tapis tissé à plat) disponibles en plusieurs tailles et différents motifs. Confectionnés en pure laine, les kilims de qualité supérieure sont teints avec des couleurs végétales. L'**argent** figure également parmi les acquisitions particulièrement intéressantes. Il se décline tant sous forme de bijoux que de cadres de miroir décoratifs et de boîtes finement ciselées.

Proposés dans des couleurs et styles variés pour hommes et pour femmes, les **cafetans** et **babouches** feront des souvenirs peu onéreux. Pensez également aux multiples épices et herbes utilisées dans la cuisine du Maghreb. Si vous souhaitez toutefois acheter de la délicieuse sauce **harissa** fraîche dans les souks, il ne faudra pas oublier d'emporter un récipient.

Ci-contre : *la vaste cour de la Grande Mosquée (ou mosquée Ez-Zitouna), avec sa colonnade décorée, fait paraître minuscule celui qui la regarde.*

Ci-contre : *les huiles parfumées sont appréciées depuis des millénaires, et le souk des Parfumeurs de Tunis perpétue la tradition. Les huiles précieuses, comme l'essence de rose, peuvent valoir plusieurs milliers de francs la livre.*

IBN KHALDOUN (1332–1406)

Cet **historien** et **philosophe** célèbre, très aimé, est étroitement lié à Tunis, où il est né en 1332 dans une famille arabe aisée originaire de Séville. Après des études à l'université Zitouna, il exerce auprès du tribunal hafside pendant 3 ans. S'ensuit une carrière politique orageuse au terme de laquelle il se retire pour s'atteler à la rédaction de l'histoire de l'Afrique du Nord. Cet ouvrage lui assure une célébrité durable mais sa carrière n'est pas terminée. Il se rend à Kairouan, au Caire puis à Damas, où il rencontre le légendaire Tamerlan. Il meurt au Caire, où il est enterré dans le cimetière soufi.

La rue des Teinturiers **

L'ancien palais du dey, **Dar Othman**, se dresse à côté de la rue des Teinturiers dans la partie sud de la médina. Construit au XVIIe siècle à l'instigation du dey Othman, il possède une façade de style, ornée d'une porte en marbre noir et blanc et un hall carrelé menant à une cour à colonnade. Toujours en cours de restauration, il est toutefois possible de jeter un coup d'œil à l'intérieur. Il est pour l'heure prévu de transformer le bâtiment en musée de l'artisanat traditionnel. Sur la même rue se trouve la **mosquée des Teinturiers**, achevée en 1716 et fidèle au style ottoman le plus typique, abondamment décorée de carreaux de faïence ornés. Cet espace a désormais largement cédé la place aux étals de fruits et légumes, mais quelques teinturiers en bas des allées latérales recourent encore aux anciennes techniques de teinture des rouleaux de laine, qui sont ensuite étendus en travers du passage.

Le musée Dar Abdallah **

Également situé dans la partie sud de la médina, le musée Dar Abdallah abrite aujourd'hui un musée d'Art et Traditions populaires, dans un palais du XVIIIe siècle. Ce superbe édifice mérite le détour même si les expositions ne vous intéressent

Ci-contre : *les femmes vivaient traditionnellement dans une partie de la maison qui leur était réservée : le harem. Ce tableau de cire du musée Dar Abdullah montre des femmes d'une famille aisée dans leurs quartiers.*

Ci-contre : *au crépuscule, des centaines de promeneurs flânent le long de l'avenue Bourguiba.*

pas particulièrement. Le hall d'entrée couvert de carreaux de faïence conduit à une charmante cour ornée d'une fontaine ; tandis que les pièces périphériques ont été aménagées de façon à retracer avec des tableaux la vie de famille au XIXe siècle. Dans l'une des salles se trouve une **carte** détaillée de la médina, sur laquelle sont clairement indiqués tous les sites d'intérêt. Ouvert du lun. au sam. de 9 h 30 à 16 h. Entrée : 1 DTU.

À proximité du musée Dar Abdallah se dresse le **Tourbet-el-Bey** ou tombeau du bey. Bien qu'ayant été négligé au siècle dernier, le mausolée peut se visiter sous la direction de son gardien. Les heures d'ouverture sont les mêmes que celles du musée Dar Abdallah.

LA VILLE FRANÇAISE

La vieille ville ne recèle guère de monuments et son charme réside essentiellement dans son élégante architecture coloniale, ses rues bordées d'arbres et ses cafés en terrasse. L'avenue Bourguiba est une large artère jalonnée d'arbres et de marchands de fleurs. C'est également le lieu de promenade privilégié des Tunisois en début de soirée.

Le principal point d'intérêt de la ville française est sa **cathédrale** sur l'avenue Bourguiba, curieux mélange de style roman, byzantin et baroque oriental. En face, se dresse la statue d'**Ibn Khaldoun**, grand enseignant et philosophe islamique, natif de Tunis. De l'autre côté de la cathédrale se trouve le **théâtre** de style art nouveau : un gâteau de mariage blanc orné de stucs et de motifs tourbillonnants, flanqué d'un balcon aux proportions harmonieuses. Le théâtre accueille régulièrement des concerts de musique classique et arabe.

LE MARCHÉ CENTRAL

Pour palper le pouls de la capitale, visitez le marché central de la rue de Belgique où de nombreuses femmes au foyer font leurs courses. Ce marché animé, haut en couleurs, à l'atmosphère méditerranéenne, offre une incroyable variété de **fruits et légumes**. Les **poissonniers** hurlent leur prix à votre passage. Leurs poissons, artistiquement disposés tête vers le haut forment une étrange composition de nature morte. Le marché est ouvert tous les jours sauf le dimanche.

Ci-contre : *Tunis possède aujourd'hui une infrastructure de transport public moderne comprenant un réseau de tramways et des lignes de métro qui desservent la ville et sa banlieue.*

Le Festival international de Carthage

Ce Festival qui se tient chaque année en juin et en août est la manifestation culturelle la plus importante de Tunisie. Elle a de quoi plaire à tout un chacun : **danse**, **cinéma**, **théâtre** et **musique** (classique et arabe). La plupart des spectacles ont lieu dans le théâtre restauré de **Carthage** et quelques-uns dans le vieux casino du **parc du Belvédère**. Les spectacles sont généralement en français. Le programme est largement couvert par la presse et annoncé par des affiches.

Le **Festival du film de Carthage**, qui se tient tous les deux ans en novembre (les années paires), est un autre grand événement. Axé sur le cinéma **arabe** et **africain**, il se déroule dans tous les cinémas de Tunis. Les années impaires, le festival à lieu à Ouagadougou au Burkina Faso.

Les environs de Tunis

Au nord de la ville, à flanc de colline, s'étend le vaste parc du Belvédère. Les espaces verts étant rares à Tunis, l'occasion vous est donnée de faire une belle escapade dans la verdure sur les étages inférieurs du parc à la végétation abondante. À mi-pente s'élève un édifice avec coupole *(koubba)* du XVIIIe siècle jadis situé en banlieue et déplacé ici en 1901. Du sommet de la colline, le panorama sur Tunis est extraordinaire. Plus bas, à proximité de l'entrée du parking, se trouve le **musée d'Art moderne et du Cinéma**. En été, il abrite des concerts en plein air dans le cadre du Festival de Carthage. La partie sud du parc a été aménagée en petit **zoo**.

Il existe un petit nombre d'autres parcs à Tunis, notamment le petit **jardin Habib Thameur** auquel on accède par l'avenue de Paris, et le **jardin de Gorjiani** au sud-ouest de la médina. L'autre grand espace vert de Tunis est l'ancien cimetière, au sud de la capitale, qui offre une retraite paisible.

Le musée du Bardo ***

Ce musée, parmi les plus importants au monde, possède l'une des plus belles collections de **mosaïques** romaines et byzantines, d'impressionnantes **statues** romaines et puniques ainsi qu'une étonnante collection retrouvée dans l'épave de la *Mahdia*, un navire du Ier siècle qui avait coulé au large des côtes. À noter également une belle collection d'objets d'art du début de l'ère islamique, notamment de **carreaux de faïence émaillée**.

Situé au nord-ouest de Tunis, le Bardo est un ancien palais du milieu du XIXe siècle. Le musée est accessible par la route en 30 minutes ainsi qu'en métro ou par la ligne de bus n° 3 depuis Tunis. L'édifice lui-même est relativement impressionnant, mais ce sont les mosaïques romaines qui retiennent l'attention. La collection est tellement vaste et d'une telle qualité qu'il est difficile de tout voir en une seule fois.

Les mosaïques dépeignent non seulement de grands thèmes religieux mais également des scènes d'intérieur. La vie quotidienne des Romains est évoquée par ces tesselles aux tons délicats. Si les Romains d'origine italienne avaient un penchant pour les peintures murales très colorées, les Romains de souche africaine privilégiaient les couleurs au sol. Cette collection est sans nul doute la plus belle au monde.

Le magnifique portrait du poète **Virgile** entouré des muses de la littérature et de la tragédie compte parmi les œuvres marquantes du musée. Le triomphe de **Neptune** est tout aussi saisissant. Les thèmes chers aux Romains transparaissent distinctement sur les plus petits panneaux où prédominent des scènes de chasse, de pêche et de la vie rurale, sans oublier les natures mortes. Dépeints avec moult détails, les crustacés et poissons en tous genres constituaient des sujets très prisés dans toute l'Afrique du Nord. Ouvert t.l.j. sauf le lun. de 8 h 30 à 17 h 30 en été et de 9 h 30 à 16 h 30 en hiver. Entrée : 2 DTU avec supplément pour photographier.

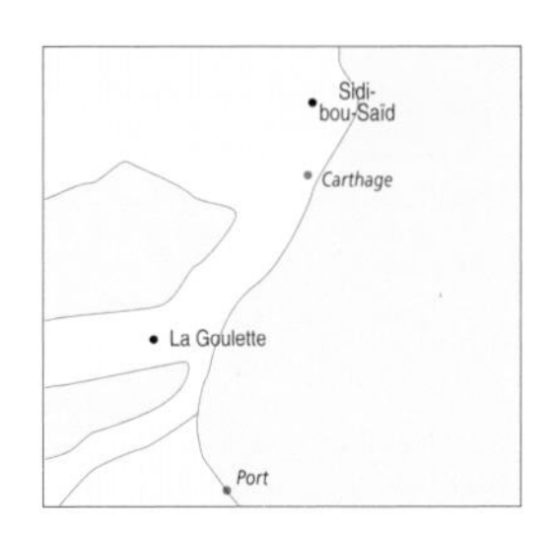

L'*ÉNÉIDE* DE VIRGILE

Le poète romain Virgile consacra les onze dernières années de son existence à composer un poème épique mythologique dans lequel il décrit les pérégrinations d'**Énée**, le héros, depuis la chute de **Troie** jusqu'à sa victoire militaire en Italie. Énée s'enfuit de Troie, portant son vieux père sur ses épaules. Il rassemble une flotte et, accompagnés des Troyens survivants, met le cap sur la Thrace, la Crète, Épire et la Sicile avant de faire naufrage sur les côtes d'Afrique du Nord. **Didon**, reine de Carthage, s'éprend d'Énée et l'*Énéide* conte leur histoire.

Le style de l'*Énéide*, considéré comme le premier grand poème épique à caractère littéraire, et la façon dont le sujet est traité s'inspirent des anciens **poèmes épiques grecs** comme l'*Iliade*. Très apprécié à son époque, le poème a par la suite inspiré Dante, Lord Alfred Tennyson, John Milton et Geoffrey Chaucer.

Ci-contre : *des visiteurs venus du monde entier viennent admirer les mosaïques inestimables du musée du Bardo.*

DIDON ET ÉNÉE

Reine et fondatrice mythique de Carthage, **Didon** est la fille du roi phénicien de Tyr. Son mari ayant été tué, elle s'enfuit en Afrique du Nord avec sa suite et achète le site de **Carthage** au roi local, Iarbus. Venu s'échouer sur les côtes nord-africaines au cours de ses nombreuses pérégrinations après la chute de Troie, **Énée** est recueilli par Didon qui tombe éperdument amoureuse de lui et le prie de rester. Mais les dieux interviennent et **Jupiter** signifie à Énée qu'il doit quitter Didon pour accomplir son destin : fonder **Rome**. Énée ignore les supplications de Didon qui, désespérée après son départ, se jette sur un bûcher.

La Goulette

Sur la rive orientale de la lagune, La Goulette est le port de Tunis. Une digue traverse les 10 km qui séparent le port de la ville le long de l'ancien **chenal**. En la suivant, vous apercevrez sur la gauche, sur l'**île de Chikli**, une forteresse abandonnée bâtie au XVIe siècle par les Espagnols comme fort d'artillerie et transformée par la suite en prison par les Turcs. À l'entrée de La Goulette, se dresse l'imposante **casbah** construite par Charles Quint comme ouvrage défensif. Prise par les Turcs, des prisonniers y furent détenus avant d'être vendus comme esclaves. Durant la Seconde Guerre mondiale, les Allemands s'en servirent d'abri antiaérien contre les bombardiers alliés.

La Goulette est aujourd'hui plus particulièrement renommée pour ses **restaurants de poisson** en bord de mer et le long des petites rues de la ville, qui s'animent le soir venu.

Carthage

L'énorme importance acquise par Carthage ne transparaît pas immédiatement au travers de ses **vestiges**. Complètement détruite par les Romains, la Carthage punique céda la place à une ville romaine qui se développa alentour, au point d'être aujourd'hui éparpillée en plusieurs parcelles. Pour visiter les différentes parties du site – les principales fouilles se trouvant sur la zone côtière de la ville – il vaut mieux compter une journée entière. Les billets s'achètent au musée de Carthage, aux thermes d'Antonin et à la Maison de la Volière. Bien que la visite puisse se faire à pied, six stations de **TGM** (Trains Grands Métro) desservent la plupart des sites de Carthage. Du nord au sud, les principales stations sont celles de Carthage Salammbô (accès aux ports puniques et au Tophet), Carthage Byrsa ou Carthage Demech (colline de Byrsa) et Carthage Hannibal (quar-

Ci-dessous : *c'est à Carthage que les Phéniciens bâtirent leur plus belle ville – cet ensemble de villas a survécu aux guerres puniques.*

tier de Magon et thermes d'Antonin).

La tradition veut que Carthage ait été fondée en 814 av. J.-C. par des commerçants **phéniciens**, en quête d'un bon mouillage. La ville s'est ainsi développée autour de la zone portuaire punique. Dans la mesure où la ville d'origine a été complètement détruite par les Romains, personne ne sait véritablement à quoi elle ressemblait. La littérature a toutefois gardé témoignage des pratiques religieuses des Carthaginois. Le culte du **Moloch** et les sacrifices d'enfants tristement célèbres pratiqués par les Carthaginois scandalisaient déjà durant l'Antiquité.

La cité romaine est une nouvelle ville entièrement

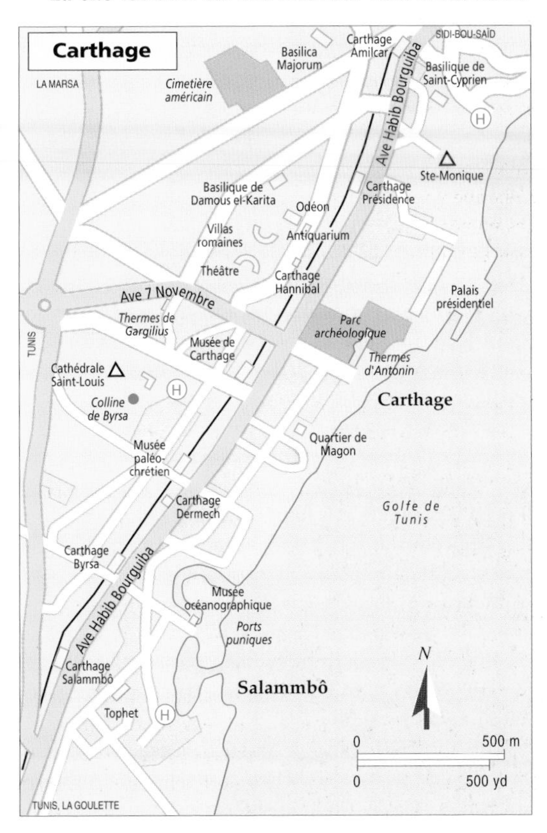

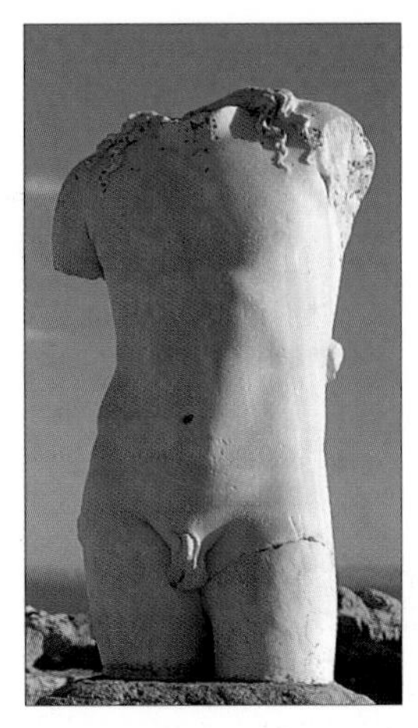

Ci-dessus : *une statue solitaire, datant de l'époque romaine avec Carthage en toile de fond.*

SALAMMBÔ

Ce récit de **Gustave Flaubert** écrit au XIXe siècle s'inspire de la révolte des mercenaires de **Carthage**. Empreint de sexe et de violence, il évoque les restes de « sacrifices humains » découverts à Carthage. Si Flaubert clamait l'exactitude historique des faits relatés, les universitaires ont fait mauvais accueil à l'ouvrage. L'imagination de Flaubert, enflammée par sa vision personnelle d'un « Orient mystérieux », priviligie le plaisir de la narration et fait en réalité peu de cas de la vérité historique. Considérée comme une œuvre mineure par la critique, l'histoire n'en demeure pas moins très divertissante.

Ci-dessus : *à son âge d'or, ce port phénicien aurait accueilli une centaine de navires de commerce ou plus. Le port est aujourd'hui en partie ensablée.*

construite sur les ruines de l'ancienne, qui dès le IIe siècle apr. J.-C. devint la troisième ville de l'empire avec une population de 700 000 habitants au faîte de sa gloire. Endommagée par la suite par les **Vandales** puis par les **Arabes**, Carthage n'a bientôt plus de célèbre que son nom, rapidement réduite à un simple village dont les pierres sont volées pour construire la nouvelle ville de Tunis et la Grande Mosquée de Kairouan.

Quelques chiffres

Tunis, la capitale de la Tunisie, est de loin la plus grande métropole du pays, avec 1,5 million d'habitants. Près d'un quart de la **population** tunisienne vit à Tunis ou dans sa périphérie. Tunis est également le siège du **gouvernement** et un centre **administratif**. La ville accueille la plupart des sièges des entreprises du pays et la moitié des complexes **industriels**. Son port, **La Goulette**, concentre 70 % du commerce de la ville.

Le Tophet *

Le Tophet se situe à proximité du port punique, à l'extrémité sud de Carthage. La découverte de ce **cimetière punique**, en 1921, a suscité bien des émotions puisque l'on a retrouvé, dans des urnes en terre cuite, des restes calcifiés d'enfants, ce qui a donné naissance à la théorie des sacrifices humains. Le Tophet est également appelé **sanctuaire de Tanit** (déesse punique) associée depuis longtemps aux sacrifices d'animaux. La visite intéressera plus particulièrement les archéologues car il ne reste que peu de choses à voir.

Les ports puniques et le musée océanographique *

Les **deux ports** ne sont pas vraiment impressionnants et il vous faudra faire preuve d'un peu d'imagination pour vous faire une idée de leur structure. Sur un plan historique, ils furent pourtant la raison d'être de Carthage et de sa prospérité ultérieure. Ils ont ainsi pu accueillir quelque 220 navires de guerre. L'île du milieu était le quartier général des forces navales.

L'île abrite aujourd'hui le **Musée océanographique** et sa collection de poissons et d'objets maritimes divers. Ouvert du mar. au sam. de 16 h 30 à 19 h 30, et le dim. de 10 h à 12 h.

La colline de Byrsa **

Cette colline, où se trouvait l'**acropole** de Carthage, est dominée par la **cathédrale Saint-Louis**, du nom du roi français du XIIIe siècle qui mourut à Carthage durant le siège mené contre le prince hafside Al-Mustansir.

Les Romains sauvèrent involontairement ce qui constitue aujourd'hui les plus beaux vestiges puniques de Carthage en nivelant le sol au sommet de la colline pour y asseoir leurs propres constructions et en noyant les maisons établies sur les pentes dans un remblai protecteur. Des fouilles récentes ont mis au jour des exemples rares de **maisons puniques**.

Le **musée de Carthage** se trouve derrière la cathédrale, au sommet de la colline. Il abrite une belle collection d'objets puniques, notamment les sarcophages, en marbre sculpté du IVe siècle av. J.-C., d'un prêtre et d'une prêtresse. Ouvert de 7 h à 19 h en été et de 8 h à 17 h en hiver.

Le flanc occidental de la colline abrite les ruines d'un **amphithéâtre**, où les saintes Perpétue et Félicité connurent une fin horrible en 203 apr. J.-C. ; l'une fut encornée par une génisse et l'autre tuée par l'épée d'un gladiateur. Au cours de son âge d'or, ce fut l'un des plus vastes amphithéâtres d'Afrique du Nord. À proximité se trouvent les vestiges de **citernes romaines**.

Le théâtre et les villas *

Le **théâtre** a été entièrement rénové pour les besoins du Festival de Carthage et n'a plus guère de rapport avec l'original. Bien qu'il risque de décevoir les puristes, il remplit admirablement son rôle durant la saison du festival.

À proximité s'étend un parc où ont été mis au jour des **villas romaines** ornées de jolis pavements de mosaïque, des fragments de statues et de sarcophages. Au nord du site sont éparpillés les restes de l'odéon (théâtre couvert).

Saint Louis

Le roi **Louis IX** (1214-1270) fut l'un des monarques les plus remarquables du Moyen Âge. Après avoir combattu en **Terre sainte** au cours de la septième croisade, il est capturé avec son armée en 1250 en **Égypte** et demeure au Moyen-Orient pendant quatre ans avant de regagner la France. En 1270, il participe à une nouvelle croisade et est tué sur le chemin de la Terre sainte à proximité de **Carthage** en 1297. Il est fêté le 25 août.

Ci-contre : *la cathédrale Saint-Louis du XIXe siècle donne sur les ruines de la Carthage punique.*

Paul Klee

Paul Klee compte parmi les **artistes** célèbres ayant vécu et travaillé en Tunisie. Né en **Suisse** en 1879, il étudie l'art à Munich. Sa première influence est celle du mouvement impressionniste. Il enseigne à l'école avant-gardiste **Bauhaus** de 1920 à 1931.

Son premier voyage en Afrique du Nord, en 1912, le marque et influence son mode d'utilisation des couleurs. Il peaufine son style dans des compositions **semi-abstraites** s'inspirant largement de l'architecture nord-africaine. Au milieu des années 1930, il tombe gravement malade et son travail se fait plus sombre. Il meurt en 1940, laissant une œuvre qui devait influencer le mouvement expressionniste abstrait naissant.

Les thermes d'Antonin et le quartier de Magon **

Le **parc archéologique des thermes**, qui remonte au milieu du Ier siècle de notre ère, est la partie la plus plaisante de Carthage. Jadis les plus vastes de l'Empire romain, les thermes couvraient une superficie de 3,5 ha. On ne peut plus voir aujourd'hui que les étages inférieurs – les espaces de service – qui devaient à l'origine être abondamment ornés de mosaïques et de statues. La piscine principale a la dimension d'une piscine olympique, et le parc compte nombre d'autres bassins plus petits. À quelque distance, s'étend le quartier de Magon, dont les fouilles ont atteint l'étage punique, en mettant au jour plusieurs **maisons**. Des salles d'exposition présentent quelques objets.

Le musée paléo-chrétien concerne les fouilles les plus récentes. Le clou de l'exposition est une **statue de Ganymède** figurant le superbe jeune troyen, qui servait d'échanson aux dieux, soignant un aigle. Ouvert de 7 h à 19 h en été et de 8 h à 17 h en hiver.

Sidi-bou-Saïd

Sidi-bou-Saïd est sans doute le village le plus pittoresque de Tunisie. Célèbre escale touristique depuis des décennies, le village n'a apparemment pas perdu une once de son charme avec sa cascade de **maisons chaulées de blanc**, réhaussées d'ornements bleu vif et de bougainvillées magenta dégringolant vers une petite plage peu fréquentée. Dans sa partie haute, le village offre des vues sur la **baie de Tunis** et abrite une myriade de **cafés typiques** et de petites boutiques.

Ci-contre : *pour la beauté des sites, la visite des vestiges des thermes d'Antonin et du quartier de Magon s'impose.*

Ci-contre : *de nombreux visiteurs sont attirés par le charmant village de Sidi-bou-Saïd, célèbre pour ses maisons pittoresques, ses cafés de caractère et son atmosphère privilégiée.*

La création de Sidi-bou-Saïd remonte à la construction d'un *ribat* (forteresse) arabe au sommet de la colline au début de l'ère arabe. Sur l'emplacement du *ribat* s'élève aujourd'hui un phare moderne. Le village s'est agrandi et porte le nom d'un saint homme du XIIIe siècle, **Abou Saïd Khalafa ben Yahia el-Temimi el-Beji**, qui a fort heureusement été raccourci.

Pendant des siècles, le village est resté hors de portée des non-musulmans mais a été « découvert » au début du siècle par des colons français aisés qui y acquirent des maisons et se donnèrent beaucoup de mal pour préserver le village. Celui-ci est ainsi demeuré intact et n'a pas son pareil en Tunisie. Il n'est pas surprenant qu'il ait attiré nombre d'artistes et d'écrivains, parmi lesquels on compte Simone de Beauvoir, André Gide et Foucault ainsi que le peintre Paul Klee dont la réputation est bâtie autour de l'œuvre accomplie en Tunisie. La galerie d'art du village mérite une visite.

L'artisanat est aujourd'hui encore pratiqué à Sidi-bou-Saïd, notamment *via* la fabrication des célèbres **cages à oiseaux** en bois et en fil métallique, dont le style rappelle les grilles en fer forgé des fenêtres des maisons traditionnelles. Après une balade à travers le village, une pause autour d'un thé à la menthe dans l'un des cafés très branchés s'impose pour souffler et observer.

Les galeries d'art

Tunis réserve un bon accueil à l'art contemporain. Si vous souhaitez voir des expositions, nous vous proposons quelques galeries :

- **Maison de la culture Ibn Rashiq**, 20 rue de Paris.
- **Galerie Yahia**, avenue Mohamed-V.
- **Maison de la culture Ibn Khaldoun**, 16 rue Ibn-Khaldoun.
- **Alif**, 5 rue de Hollande.

En outre, le ministère de la Culture accueille souvent des expositions d'art à son siège de la place de l'Indépendance.

La **galerie Ammar Farhat**, située au bas d'une petite rue latérale à la rue principale de Sidi-bou-Saïd, est intéressante.

Ci-dessus : *cette petite marina, située près de Sidi-bou-Saïd, demeure relativement peu fréquentée, même l'été.*

Plages et stations balnéaires

Si le centre-ville abonde en boutiques et pâtisseries françaises coûteuses, le littoral à proximité de Tunis recèle quelques stations balnéaires. L'une des plus belles, **La Marsa**, se trouve dans la banlieue chic de la capitale. La Marsa, et ses élégantes maisons, faisait à l'origine partie de l'antique Carthage et portait alors le nom de Megara avant de devenir Marsa-al-Roum (La Marsa chrétienne) après l'installation de coptes égyptiens au VIIIe siècle.

Les superbes palais d'été construits au XIXe siècle ne sont pas ouverts au public mais il n'en reste pas moins agréable de flâner à travers la ville. Celle-ci possède une belle **mosquée carrelée de vert** au centre, et abrite le célèbre **café Saf Saf**, construit autour d'un vieux puits hafside orné de carreaux de faïence émaillée autour duquel tourne un chameau pour puiser l'eau, et d'où s'élève de la musique *malouf*. Le principal attrait de la station demeure toutefois sa longue plage de sable et sa corniche bordée de palmiers.

En remontant le long de la côte se trouve **Gammarth**, qui s'est développée autour de plusieurs criques formant ce que l'on appelle la baie des Singes. Des pêcheurs l'auraient ainsi baptisée après avoir vu des Européens y nager nus durant les années 1950. La ville en soi ne présente guère d'intérêt, à l'exception du beau panorama que l'on a sur la baie de Tunis et le djebel Zaghouan à partir du **cimetière militaire français** au sommet de la colline.

Les *hammams*

Accordez-vous au moins deux ou trois heures pour profiter pleinement des bienfaits du *hammam*. À l'entrée, une fine serviette et une paire de sandales en bois vous seront remises. Enveloppez-vous dans la serviette et, après une longue et bénéfique pause dans la **salle chaude**, il est possible de **se faire masser** afin de faire complètement peau neuve. Pour ce faire, la masseuse recourt au savon noir et au gant de crin pour éliminer les peaux mortes. Il ne vous reste plus ensuite qu'à faire travailler vos muscles et à vous détendre avant de terminer par une **douche** tiède et une tasse de **thé**. Après une séance de *hammam*, vous vous sentirez merveilleusement détendu.

Au sud de Tunis s'étend la station de **Hamman-Lif**, du nom d'une ancienne source chaude. À la fin du XVIIIe siècle, Ali Pacha y fit édifier un palais d'été au milieu des palmiers. Il a aujourd'hui disparu, mais il est possible de voir, à l'**hôtel des Thermes**, les sources chaudes dans lesquelles se baignent les malades. La station possède également d'agréables cafés en bord de mer et, bien entendu, une plage.

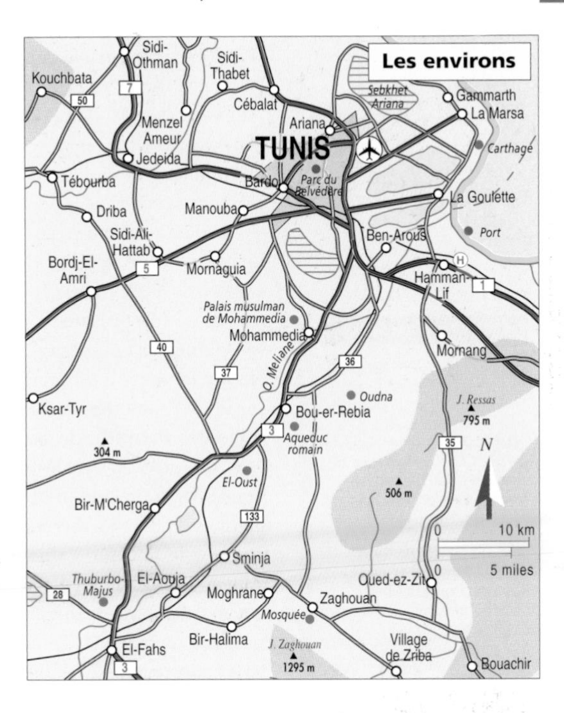

Thuburbo-Majus

Cette cité romaine se situe à 55 km environ, au sud-ouest de Tunis, près du village moderne de Fahs. C'est une excursion intéressante pour la journée, depuis la capitale. Ville berbère à l'origine, elle devint romaine en 27 av. J.-C. Ce n'est que bien plus tard, cependant, à la suite d'une visite de l'empereur Hadrien au IIe siècle apr. J.-C., qu'elle se cou-

Ci-contre : *les ruines de Thuburbo-Majus constituent un lieu de visite très prisé. Les familles de la région viennent souvent pique-niquer sur le site et y passer la journée.*

Les plages près de Tunis

** **Sidi-bou-Saïd :** plage de sable tranquille, formant une baie.
** **Hamman-Lif :** charme suranné en bord de mer.
* **La Marsa :** proche de la capitale, sans être bondée.
* **Gammarth :** une belle plage à proximité, dans la baie des Singes.

vrit d'élégants **édifices publics**. Certains des temples et bâtiments furent plus tard transformés en églises. Après l'invasion des Vandales, la ville connaît un rapide déclin et devient le refuge des bergers de la région jusqu'à ce que des fouilles réalisées au cours de ce siècle mettent au jour les monuments.

Bordé de colonnes sur trois côtés, le **forum** (182 av. J.-C.) constitue le cœur de la cité en ruine. Dédié aux empereurs Marc Aurèle et Commode et placé sous la protection de Jupiter, Junon et Minerve, le **capitole** s'élève sur le côté nord-ouest du forum. Flanquée sur un côté du **temple de Mercure**, l'**agora**, ou place du marché, s'étend sur le côté sud-ouest du forum. Au sud, se trouve la **portique des Petronii**, du nom de la famille de Petroniux Felix qui fit bâtir la **palestre**, ou gymnase. Le site se distingue par la présence d'un double complexe thermal : les **thermes d'été** et les **thermes d'hiver**. Elle s'explique peut-être par le fait que l'alimentation en eau des thermes d'hiver s'asséchait en été, d'où la nécessité de construire une seconde série de thermes au bas de la colline.

Sur la route reliant Thuburbo-Majus à Tunis se niche la ville endormie de **Zaghouan**. D'aspect presque alpin par sa verdure et les **sources minérales** qui y jaillissent, Zaghouan alimentait autrefois Tunis en eau. Les vestiges de l'**aqueduc** long de 132 km sont visibles en certains endroits de la route menant à Tunis.

Conseils pour les visites

Pour que vos visites se déroulent pour le mieux, il est préférable de bien vous équiper car la chaleur peut être accablante et les visites s'avérer éreintantes pour vos pieds. Chaussez-vous de **sandales** ou de **baskets** robustes car le sol peut être caillouteux. Parmi les accessoires à emporter figurent une bonne paire de **lunettes de soleil** pour protéger vos yeux des ultraviolets, et un **chapeau** à larges bords qui protégera votre visage et votre cou.

Si vous comptez visiter une **mosquée**, habillez-vous décemment (en excluant les shorts). Les femmes se couvriront la tête. Si vous emmenez un **appareil photo**, laissez-le dans un étui – fixé autour de la taille pour vous laisser les mains libres – afin de le protéger de la poussière et du soleil.

Si vous consacrez plus de deux heures à la visite d'un site archéologique, munissez-vous d'une **bouteille d'eau** (pas de boissons gazeuses) car les problèmes de déshydratation sont fréquents, surtout en plein été.

Ci-contre : *l'eau était la denrée la plus précieuse à l'époque romaine. Aussi des aqueducs furent-ils construits sur plusieurs kilomètres, notamment près de Zaghouan.*

Tunis en un coup d'œil

Quand partir ?

Attendez-vous à des étés chauds et secs et à des hivers frais et étonnamment humides. Le **printemps** et l'**automne** sont les saisons les plus appropriées pour visiter Tunis, car le temps est beau sans être trop chaud et désagréable pour les visites. En période de ramadan, de nombreux restaurants sont fermés la journée et les heures d'ouverture des commerces sont restreintes.

Comment s'y rendre ?

Tunis est accessible en **bus** ou en **train**. La principale gare terminus est Barcelone, d'où vous pouvez emprunter le bus ou le métro. Les bus vont jusqu'à Bab-Saadoun ou Bab-Ellioua, à une courte distance en **taxi** *(louages)* du centre. Il n'est pas possible de conduire dans la médina, vous devrez stationner à l'extérieur, de préférence dans le parking gardé d'un hôtel, comme l'Hôtel Africa. Tunis est également accessible par **avion**. L'aéroport se trouve à 9 km de la capitale et est desservi par une ligne d'autocars et des taxis. Les **car-ferries** accostent à La Goulette, non loin du centre, reliée par une ligne **TGM rapide** au bas de l'avenue Habib-Bourguiba.

Moyens de transport

Depuis la place de la Victoire, la plupart des sites sont accessibles **à pied**, en 30 minutes maximum.

Hébergement

Luxe

Hôtel Africa, Avenue Habib-Bourguiba, tél. (01) 347477. Hôtel 5 étoiles moderne sans charme, bien situé, piscine sur le toit.

International Tunisia Hôtel, Avenue Habib-Bourguiba, tél. (01) 254855. Hôtel 5 étoiles.

Oriental Palace Hôtel, Avenue Jean-Jaurès, tél. (01) 348846. Chic mais décor quelque peu pompeux.

Prix modérés

Maison Dorée, Rue de Hollande, tél. (01) 240632. Offre toutes les prestations de base.

Hôtel Majestic, Rue de Paris, tél. (01) 242848. Superbe et chaleureux, mais sur le déclin.

Grand Hôtel de France, Rue Mustafa-Mbarek, tél. (01) 245876. Confortable et proche de l'entrée de la médina.

Dans la médina

Hôtel de la Victoire, Bab-Menara, tél. (01) 261244. Simple et plutôt spartiate.

Hôtel Hammami, sur la rue de Mechnaka, tél. (01) 260451. Offre un bon aperçu de la vie dans la médina, sans être exceptionnel.

Hôtel Medina, Place de la Victoire, tél. (01) 255056. Proche de la médina.

Restaurants

Dar-el-Jeld, Rue Dar-el-Jeld, tél. (01) 260916. Cuisine traditionnelle dans un cadre magnifique. Vivement recommandé.

Gaston's, Rue Yougoslavie, tél. (01) 340417. Menus renouvelés et concerts.

Restaurant Baghdad, Avenue Habib-Bourguiba. Restaurant tunisien sans prétention proposant de bons plats, à des prix raisonnables.

Dans la médina

Les gargotes proposent toutes sortes d'en-cas et de nourriture à emporter ; très bon marché.

Visites et Excursions

Les agences locales proposent des excursions dans les environs de Tunis, à Carthage, au musée du Bardo, à Sidi-bou-Saïd et à Thuburbo Majus. Comptez en moyenne 25 DTU la demi-journée et 45 DTU la journée. L'office de tourisme dispose d'une liste complète des organismes de voyages.

Adresses utiles

Office de tourisme de Tunis, Place du 7 Novembre, Avenue Habib-Bourguiba, tél. (01) 341077.

Poste, Rue Charles-de-Gaulle. Dans le même bâtiment que les services de télécommunication, ouvert 24 h sur 24.

Police et pompiers, tél. 197.

Ambulance, tél. (01) 341250 ou 341280.

TUNIS	J	F	M	A	M	J	J	A	S	O	N	D
Temp. moyennes °C	14	16	18	21	24	29	32	33	31	25	20	16
Heures de soleil/j.	10	11	12	13	14	14	14	13	12	11	10	9
Précipitations mm	64	51	41	36	18	8	3	8	33	51	48	61
Jours de pluie	13	12	11	9	6	5	2	3	7	9	11	14

3
Le nord de la Tunisie

Ce n'est pas sans raison que la Tunisie du Nord a été baptisée la **Tunisie verte**. Les paysages sont en effet étonnamment verdoyants et luxuriants. Les collines forment une magnifique toile de fond pour la plus jolie partie du littoral tunisien. On a récemment exploité tous les attraits de la région pour satisfaire aux demandes du tourisme ; la **plongée sous-marine** fait partie des nombreuses activités proposées.

La région peut également s'enorgueillir d'un riche passé et compte plusieurs sites romains et puniques le long de son littoral, ainsi que dans la **vallée de la Medjerda**.

À NE PAS MANQUER

*** **Sidi-Ali-el-Mekki :** passe pour la plus belle plage du pays.
*** **Tabarka :** une ville magnifique dans un cadre étonnant.
*** **Dougga :** le site romain le plus intéressant de Tunisie.
** **Bulla-Regia :** renommée pour ses maisons romaines souterraines.
*** **Bizerte :** un port et une charmante ville au riche passé.
** **Utique :** ancienne capitale de la province romaine d'Africa.

UTIQUE

Les **Phéniciens** appelaient Outiih cette ville qui compte parmi les premières d'Afrique du Nord à avoir été colonisée par des commerçants navigateurs. Aujourd'hui complètement enclavée, Utique était jadis un port prospère sur les rives de l'**oued Medjerda**, et une grande partie de la ville est toujours noyée sous 5 m de limon.

Selon **Pline l'Ancien**, Utique fut fondée sur un site d'origine préhistorique en 1101 av. J.-C., soit 300 ans avant Carthage. Elle maintint son indépendance jusqu'à ce que Carthage la contraigne à devenir une alliée, au Ve siècle av. J.-C. Par la suite, au temps des guerres puniques et des Mercenaires, elle se rangea tantôt d'un côté, tantôt de l'autre. À nouveau aux côtés de Carthage lors de la deuxième guerre punique, elle devint la cible d'attaques romaines, et le **général Scipion** en fit une base romaine.

Ci-contre : *Dougga, perle de tous les sites archéologiques romains de Tunisie.*

Après la chute de Carthage, Utique devient la capitale de la province romaine d'Africa. Elle atteint son apogée au IIe siècle apr. J.- C. mais, dès le IIIe siècle, le port commence à s'envaser, sonnant le glas de la cité marchande. Utique amorce alors son déclin et au Moyen Âge son port est presque entièrement ensablé. Entre le IIIe et le VIIe siècles, Utique abrite un évêché avant d'être finalement détruite par les armées arabes. Pendant des siècles, la ville sert de carrière aux futures constructions.

Le site abrite aujourd'hui un **musée** contenant une collection d'objets hétéroclites (pièces, bijoux, poterie, et même un cercueil punique en bois et une vaste mosaïque dépeignant la vie sous-marine). Ouvert t.l.j. sauf le lun. de 8 h à 12 h, et de 13 h 30 à 17 h 30.

Sur le site principal, le monument le mieux conservé est la **maison de la Cascade**. Ancienne résidence d'un citoyen aisé, elle abrite au rez-de-chaussée de vastes pièces vouées aux divertissements et, dans sa cour, une piscine. Certaines décorations en marbre et en mosaïque sont intactes. Sur ce même site s'élèvent le **forum** et la **nécropole punique**.

LE CLIMAT

Dans le Nord, le climat est beaucoup plus frais que dans le reste du pays et également bien plus humide. Les étés sont chauds et secs, avec des brises qui tempèrent les régions vallonnées de l'arrière-pays. En hiver, des averses torrentielles s'abattent sur les montagnes, la région la plus **humide** de Tunisie étant celle d'**Aïn-Draham**.

Le long du littoral, les précipitations sont beaucoup moins importantes et les hivers sont doux avec de rares averses.

LE LITTORAL SEPTENTRIONAL

Au nord-est d'Utique s'étend le cap Ras-Jebel. C'est là que se niche une kyrielle de belles **plages**, peu aménagées au regard des normes touristiques en vigueur dans le reste du pays et souvent presque entièrement désertes. La plage de **Sidi-Ali-**

el-Mekki, à l'extrémité du promontoire, est considérée comme la plus belle du nord du pays. À proximité, se trouve un intéressant vieux **port turc**. Vestige de la notoriété passée de la région, ancienne base de pirates, le port fut attaqué et détruit par Francis Drake au XVIIe siècle. Aux XVIIIe et XIXe siècles, les beys ottomans convoitaient ce port qui s'est depuis ensablé et ne peut désormais plus accueillir que de petits bateaux de pêche. Le petit port, au sud, porte le nom de **Ghar- el-Melh** (qui signifie « cave de sel ») ou Porto-Farina. Il était jadis un avant-poste de l'Utique punique, mais presque plus rien n'en témoigne aujourd'hui. Avec ses **arcades turques**, ses bateaux de pêche colorés, le port n'en demeure pas moins assez pittoresque.

En poursuivant vers l'ouest se dessine **Raf-Raf**, nichée dans son immense baie de sable blanc encadrée de dunes, et, au-delà, de forêts. Le week-end, la ville est envahie par les campeurs et les amateurs d'excursions locales, mais il suffit de s'en éloigner un peu pour échapper à la foule. La promenade jusqu'au cap Farina offre des vues spectaculaires.

De mystérieux réservoirs

La **maison du Trésor**, l'une des villas en ruine d'Utique, abrite une **chambre** close centrale qui intrigue les archéologues. Ces chambres se retrouvent dans plusieurs sites d'Afrique du Nord et sont toutes dotées de bacs en pierre sculptés. Diverses théories ont été avancées : mangeoires pour animaux, boulangeries, lavoirs ou entrepôts. Personne ne connaît leur usage. On pense que ces bacs auraient servi à répartir les rations de nourriture et de vin entre les domestiques.

Ci-contre : *Tabarka et ses environs recèlent quelques superbes paysages.*

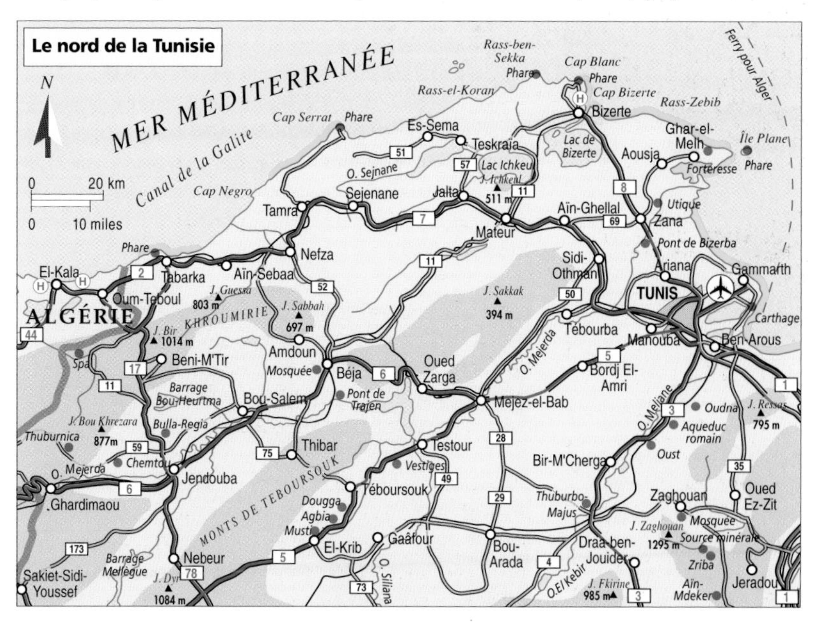

Le corail

Il existe trois types de barrières de corail : les récifs frangeants, les récifs barrières et les atolls. Dans le nord de la Tunisie, les côtes sont bordées de récifs **frangeants**. Le récif lui-même se forme par accumulation, au fil des siècles, d'exosquelettes calcaires d'organismes coralliens, de mollusques et d'algues calcaires rouges. Son développement annuel peut varier de 1 cm à 1 m. Il est sensible aux substances polluantes comme aux dommages physiques.

Formant la base d'un écosystème unique, ces récifs attirent une faune sous-marine variée ; ce qui en fait un décor tout indiqué pour la **plongée**. Plusieurs centres de plongée, proposant des sorties pour débutants comme pour amateurs expérimentés, jalonnent le littoral tunisien bordé de corail.

Bizerte **

Située à la pointe sepentrionale du continent africain, Bizerte est célèbre pour avoir été le camp retranché des Français peu désireux de quitter le pays après lui avoir accordé son indépendance. Dans l'affrontement qui s'ensuivit des milliers de Tunisiens furent blessés et tués. Les Français finirent par quitter les lieux le 15 octobre 1963, jour célébré dans le calendrier tunisien.

La ville côtière encadre l'entrée du superbe port sur le **lac de Bizerte**, objet de maintes convoitises ayant engendré de fréquentes occupations et invasions par le passé. Les Phéniciens qui en firent un port furent les premiers à creuser un canal pour relier le lac à la mer. Les Grecs y fondèrent par la suite une colonie qu'ils appelèrent **Hippo Diarrhytus** et qui se maintint pendant toute la période gréco-romaine.

Fondée au IXe siècle par les **Aghlabides**, la ville fut l'enjeu d'une partie de bras-de-fer lors de la guerre entre les Habsbourg et les Ottomans, dont elle pâtit énormément. Telle qu'elle se présente aujourd'hui, la vieille ville date pour l'essentiel du XVIe siècle. Un **quartier andalou** y fut aménagé pour abriter les réfugiés musulmans ayant fuit l'Espagne. La ville devint ensuite une importante base de corsaires.

Sous l'autorité française, Bizerte devint une base navale et fut occupée durant la Seconde Guerre mondiale par les forces de l'Axe, devenant ainsi la cible des bombardiers alliés. La ville a pourtant conservé une grande partie de son cachet original et sa charmante zone portuaire forme encore aujourd'hui encore le cœur de la cité.

Ci-contre : *en passe de devenir une station balnéaire pour Tunisiens et touristes nantis, Bizerte abrite un vieux port au charme particulier qui fait le bonheur des photographes.*

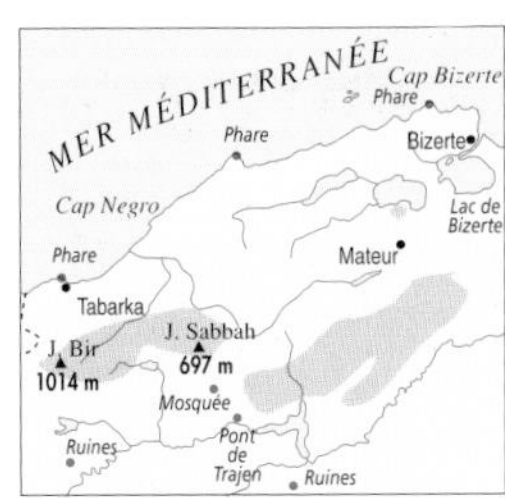

Ci-contre : *c'est au café du vieux port de Bizerte que la population locale attend que la chaleur de l'après-midi se dissipe ; à laquelle se joignent maintenant les touristes et les Tunisiens de la classe moyenne.*

Le **vieux port** est encadré de maisons bleues et blanches et de l'immense rempart de l'ancienne **casbah**. À proximité, se trouvent un **marché au poissons** et de nombreux petits **cafés**, qui s'animent le soir venu lorsque tables et cajirs se répandent sur les quais.

Sur le côté sud du **canal** s'élève le **fort Sidi-al-Hani** récemment restauré, qui abrite un modeste mais intéressant **musée océanographique**.

La **plage** de la ville est relativement longue et sablonneuse. Vous pourrez y faire des balades à cheval. Au nord du cap Blanc s'étirent d'autres plages, la plus belle étant **les Grottes**. Au sud de la ville s'étend **Remel plage**.

Tabarka ***

Tabarka se situe dans un cadre à couper le souffle : les monts de la Kroumirie viennent se fondre dans un port naturel donnant sur une île dominée par un **fort génois**. L'île est reliée à la terre par une chaussée, construite à l'origine par les Carthaginois.

La richesse de la ville provenait, à l'origine, du marbre extrait des carrières de Chemtou, lequel était expédié par voie de mer dans tout l'Empire romain. Plus récemment, Tabarka s'est tournée vers la production de liège issu de la forêt environnante et a développé ses activités agricoles et son industrie de la pêche. Les colons français venaient à Tabarka pour y chasser. Pendant quelques décennies, Tabarka a vécu dans un paisible isolement.

TAPIS ET KILIMS

Il existe des tapis à points noués et des tapis à poils ras. Aussi est-il important de connaître la différence entre ceux-ci avant toute acquisition. Les **tapis berbères guetafi** ont des poils longs tandis que les **tapis de Kairouan d'influence turque** sont noués et ont des poils courts (ils sont aussi beaucoup plus chers).

À la fois tissés et noués mais à poil ras, les **kilims** sont bien moins chers. Ils sont généralement ornés de motifs géométriques. Les **mergoums**, à poils ras, sont confectionnés par tissage, le fil pendant lâchement en dessous. Ils portent eux aussi des motifs géographiques de couleur vive.

Ci-contre : *enivrant mélange de nouveau et d'ancien, Tabarka accueille de nombreux touristes en été, mais n'en délaisse pas pour autant son activité traditionnelle de pêche.*

Ces dernières années ont été marquées par un vaste mouvement d'aménagement touristique de la région, ce qui a quelque peu dérouté la population locale. Malgré les foules qui débarquent en juillet et en août, Tabarka a néanmoins conservé tout son charme.

La rue principale est bordée de cafés, boutiques et restaurants ainsi que du petit Hôtel de France, où Habib Bourguiba fut gardé captif en 1952 en compagnie d'autres militants politiques. Leurs chambres ont été conservées en l'état. À proximité, au sud-ouest, s'élève la **basilique**, qui est en fait une ancienne citerne romaine transformée par la suite en église par les Pères blancs, et qui abrite aujourd'hui des expositions ainsi qu'un espace théâtral. Un peu plus haut, le **bordj Messaoud**, est également une citerne transformée en fort au XIIe siècle par des marchands français et italiens.

À l'ouest du port, se dressent les célèbres **Aiguilles**, des roches aux formes étranges, sculptées par l'érosion et semblant jaillir de l'eau. De ce côté de la ville, s'étend une plage de galets, tandis qu'à l'est s'étire une longue **plage de sable**.

Le **fort génois** situé sur l'île est l'édifice le plus imposant de Tabarka. Il offre une vue magnifique sur la ville et le port. Un épisode dramatique lui est associé. Le fameux corsaire **Barberousse** le céda en effet à Charles Quint pour sauver la vie de l'amiral Dragut, qui avait été fait prisonnier. L'année suivante, Charles Quint le vendit à une famille de marchands génois, lesquels gagnaient leur vie

BARBEROUSSE

Plus connu sous le nom de Barberousse, le célèbre pirate **Khayr ad-Din** (1483-1574) et son frère, également dénommé Barberousse, persuadent le sultan ottoman de les engager à son service pour œuvrer activement en Afrique du Nord. C'est alors qu'ils évincent les Espagnols et leur reprennent les terres qu'ils avaient récemment conquises. Les deux frères deviennent ainsi la bête noire de toutes les flottes chrétiennes de la Méditerranée.

En 1518, Khayr ad-Din est nommé représentant du sultan à Alger, où il prend le titre de **Beylerbey**. En 1534, il s'empare de Tunis mais est repoussé quelques années plus tard par les Espagnols et met à sac Gibraltar en 1540. Sa vie aventureuse est célébrée aujourd'hui encore et une statue s'élève à sa mémoire aux portes d'Istanbul.

en servant d'intermédiaires pour le rachat de captifs à Tunis. Au XVIIIe siècle, les Turcs mirent Tabarka et les avant-postes environnants à sac et vendirent les habitants des îles comme esclaves.

AÏN-DRAHAM

Ce village créé quasiment de toutes pièces par les Français est niché sur les hauteurs du djebel, à 100 m d'altitude. Le parcours en voiture depuis Tabarka est magnifique. Les colons souhaitaient en effet échapper à la chaleur accablante qui régnait sur les plaines et pensèrent qu'il serait amusant de bâtir un village dans le style suisse. Le climat y est beaucoup plus frais et la neige n'est pas rare en hiver. Les Français firent de la ville un domaine de **chasse**, une activité qui se pratique aujourd'hui encore, en particulier la chasse aux sangliers. La saison de chasse débute fin septembre pour s'achever en février.

Les âmes plus pacifiques viendront ici pour profiter des merveilleuses **randonnées** à travers les forêts de chênes-lièges environnantes et vers les hauts sommets. Les novices suivront les sentiers bien balisés qui les mèneront soit vers le **djebel Bir** à l'est, soit vers le **djebel Firsig** à l'ouest.

Une coopérative villageoise a été mise sur pied pour donner du travail aux femmes des environs. Les tapis et kilims produits ici sont vendus dans l'atelier, dont la visite vous permettra de mieux comprendre la confection des tapis.

LE SANGLIER

Originaire d'Europe, le sanglier s'est répandu en Afrique du Nord et en Asie occidentale. Il se fait aujourd'hui rare en Europe et ne se trouve plus que dans des espaces montagneux restreints. En Tunisie, le sanglier vit dans les **chaînes de montagnes du Nord**. Pendant la saison de chasse, il est chassé par les étrangers, la viande de porc étant interdite aux musulmans.

Les sangliers aiment à se déplacer en petits groupes et vivent dans les régions boisées et marécageuses, se nourrissant de racines et de céréales. Les dents de devant de leur mâchoire inférieure, longues et incurvées, constituent un formidable outil de défense. Un sanglier adulte chargera l'homme s'il se sent menacé et peut lui infliger une blessure mortelle. Dans la mythologie phénicienne, **Adonis**, le jeune homme aimé à la fois de Perséphone et d'Aphrodite, est ainsi blessé mortellement par un sanglier.

Ci-contre : *folie architecturale des Français, la ville d'Aïn-Draham a conservé tout son cachet avec ses maisons qui trouveraient davantage leur place en Provence qu'en Afrique du Nord.*

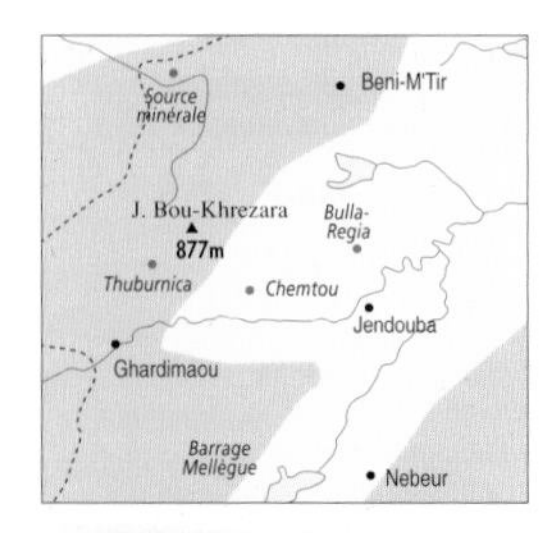

Bulla-Regia et Chemtou

Bulla-Regia ***

Unique dans la civilisation romaine, ce site est célèbre pour ses **maisons souterraines** bâties par les citoyens aisés de la ville. Il abrite en outre une profusion d'intéressantes mosaïques. C'est probablement la chaleur du climat qui a conduit à construire des maisons sous terre, comme cela s'est fait plus récemment dans certains villages berbères comme Matmata, dans le Sud.

Le site fut occupé à partir du IIIe siècle av. J.-C. et fut la capitale régionale d'un royaume numide (d'où son nom Regia). Les monuments visibles aujourd'hui datent de l'époque romaine et pour la plupart des Ier et IIe siècles apr. J.-C.

La cité était prospère grâce aux revenus tirés des riches régions situées autour de la vallée de la Medjerda, productrices de céréales. Cette richesse favorisa, un temps, un mode de vie permissif, et cette opulence finit par sombrer dans la décadence, Bulla-Regia devenant synonyme de lieu de vie dissolue. **Saint Augustin** décrivit le caractère dévoyé de la population en 339 apr. J.-C. après y avoir séjourné. Suite au déclin amorcé avec l'invasion arabe, Bulla-Regia finit par être abandonnée au XIIe siècle.

Le site abrite un petit **musée** où s'achète les billets d'accès au site. Passé l'entrée, on remarque les **thermes de Julia Memnia**, les plus vastes de la ville. Très impressionnants par leurs dimensions, ils ont conservé des mosaïques intactes. La rue passant devant les thermes descend vers le **théâtre** dont la scène est ornée en son centre d'une étonnante mosaïque figurant un ours. Plus loin, se tient le **forum** avec le **temple d'Apollon** du côté nord et le **capitole** à l'est.

De toutes les habitations souterraines, la plus impressionnantes est la vaste **maison de la Chasse** avec sa cour à colonnes en sous-sol. À côté se trouve la **maison**

Le temple d'Isis

Déesse égyptienne, Isis fut rapidement adoptée par les **Romains**. Son culte se perpétua, auréolé de mystère. **Apulée**, célèbre auteur romain de *L'Âne d'or*, décrit la cérémonie du temple en ses termes : « J'approchai des portes de la mort et mis un pied sur le seuil de Proserpine mais fut autorisé à m'en retourner, plongé dans les éléments. À minuit, je vis le soleil briller comme s'il avait été midi : je me retrouvai en présence des dieux des Enfers et des dieux du Paradis, je me tins près d'eux et les vénérai. »

de la Pêche qui abrite une fontaine en sous-sol. Au nord-est, une autre villa, la **maison d'Amphitrite**, arbore une célèbre mosaïque en très bon état, représentant Poséidon et Amphitrite entourés par des amours.

Si vous avez le temps, allez admirer, sur le coteau derrière le musée, les **dolmens d'époque néolithique**, datant d'une civilisation très ancienne qui occupait alors le site.

Chemtou *

La **ville romaine** de Chemtou se situe dans la même région que Bulla-Regia. C'était la seule carrière de marbre dit *antico giallo* (jaune antique), alors très prisé. Sa couleur jaune veinée de rouge, plutôt criarde, plaisait aux Romains bien qu'ils ne fussent pas les premiers à s'en servir. Les Numides commencèrent en effet à exploiter le gisement au IIe siècle av. J.-C. afin que le roi Massinissa puisse construire un imposant **autel** au sommet de la colline (à présent restauré). Le marbre fut d'abord exporté à Rome en 78 apr. J.-C. et la carrière s'avéra suffisamment rentable pour assurer la prospérité d'une ville de dimensions non négligeables. Chaque bloc était marqué du nom de l'empereur, du consul et du gouverneur local, et portait également un numéro de production. Par la suite, une usine de production de pièces finies, petites statues et ustensiles, fut fondée.

Les Byzantins appréciaient également ce marbre aux couleurs vives et exploitèrent la carrière jusqu'à l'invasion arabe. Au XIXe siècle, les travaux reprirent brièvement, et l'**église** coiffant la colline date de cette époque. Le site est libre d'accès. Quelques vendeurs de souvenirs proposent de petites sculptures en marbre.

Ci-contre : *mosaïque figurant un ours à Bulla-Regia.*
Ci-dessus : *pour se rafraîchir, les Romains bâtirent des maisons souterraines.*

Le marbre de l'Africa

Ne manquez pas de voir les restes de l'usine de marbre sur le flanc septentrional de la colline. Cet ancien camp militaire fut transformé par les **Romains** en usine de production de sculptures en marbre. C'est l'une des premières chaînes de production dans la mesure où les sculpteurs travaillaient les pièces avant de les passer aux polisseurs. Ces artisans utilisaient les plus petites pièces de marbre pour fabriquer des statues et des ustensiles.

Ci-contre : *la pierre chaude, couleur miel, de Dougga ne fait qu'accroître l'attrait de ce site, le plus beau de l'Empire romain en Tunisie. Comme en témoigne ce temple, les vestiges sont relativement bien conservés et évoquent distinctement la vie dans la cité romaine.*

LE LIÈGE

Le liège est la couche externe de l'écorce d'un chêne à feuilles persistantes appelé *Quercus suber*. Matériau léger, imperméable à l'eau et au gaz, il est très utile. Ses qualités en font en effet un **bouchon** idéal pour les bouteilles de vin. Il entre également dans la fabrication de dalles pour sol ou mur, des **semelles de chaussures** et, en raison de sa flottabilité, des **flotteurs**.

Le liège est détaché de l'arbre lorsque celui est âgé de 15 à 20 ans, en veillant à ne pas couper l'aubier. Il est ensuite mis à sécher et à bouillir pour en extraire le tannin. Utilisé depuis des milliers d'années, le liège n'est devenu une industrie importante que depuis la production de bouteilles en gros au XVIe siècle.

DOUGGA

Si vous ne devez visiter qu'un seul site romain en Tunisie, optez pour celui-ci. De tous les **vestiges** mis au jour, c'est le plus évocateur et le plus spectaculaire. Dougga est situé dans un bassin calcaire naturel au flanc de la colline de Téboursouk. Les temples qui se dressent plus haut ainsi que le temple de Saturne et ses colonnes gigantesques se distinguent à des kilomètres à la ronde.

Sur le plan historique, Dougga n'a jamais été un centre militaire ou agricole important et sa population est restée limitée. Ses somptueux monuments témoignent donc plutôt de la vigueur de sa vie culturelle et religieuse. Fondée sur le site d'une ancienne ville carthaginoise, Dougga semble avoir hérité d'une force spirituelle que confirment les vestiges d'anciens temples puniques retrouvés sous les vestiges romains. La ville s'est en fait accrochée aux croyances païennes de l'Ancien Monde, bien après que la plupart des autres villes eussent adopté la religion chrétienne.

La période païenne de Dougga s'achève avec la conquête byzantine du VIe siècle. Ses temples sont pillés et la pierre utilisée pour asseoir la construction de nouvelles fortifications.

Au fil des siècles, Dougga se réduisit à un petit bourg agricole, continuellement occupé jusqu'à ce que ses habitants soient déplacés, dans les années 1950, vers un site d'habitation limitrophe, la **Nouvelle Dougga**, pour faciliter le travail des archéologues.

Le site s'étend sur 4 km à l'écart de la route venant de Téboursouk et est ouvert de l'aube au crépuscule. La première structure visible est le **théâtre**, édifié en 168 apr. J.-C. Financé par Marcus Quadratus, il comptait au nombre des édifices publics grandioses édifiés par les riches familles de Dougga. Il pouvait contenir 3 500 spectateurs sur ses 19 gradins. Aujourd'hui restauré, il accueille chaque année, en mai et en juin, des représentations de la Comédie-Française.

En haut du plateau, bien au-dessus du théâtre, se dresse le **temple de Saturne**. Ses colonnes, toujours sur pied, sont visibles depuis le lointain. Le temple a été conçu selon un plan d'inspiration punique. C'est là que les vestiges d'un ancien temple de Baal ont été mis au jour.

Au sommet de la colline sont disséminées les ruines d'une ancienne ville punique, d'une tour numide et un certain nombre de **dolmens** du mégalithique. Plus loin se trouvent le **temple de Minerve** et l'**hippodrome**.

Dans la zone centrale, sont ramassés différents édifices publics, dont la place de la **Rose-des-Vents** , un espace ouvert qui tire son nom de la rose gravée dans son dallage. Le petit **temple de Mercure** occupe le nord de la place tandis que la place du marché se trouve du côté sud.

LE MAUSOLÉE

Le mausolée libyco-punique de Dougga a été restauré. Comptant parmi les rares monuments **pré-romains** de Tunisie parvenu jusqu'à nous, il porte une belle inscription bilingue – grecque et punique : « Ateban, fils de Leptemath, fils de Palu ». C'est pour s'emparer de cette inscription que le consul britannique, **Sir Thomas Reade**, détruisit le temple en 1842. Elle se trouve aujourd'hui au British Museum.

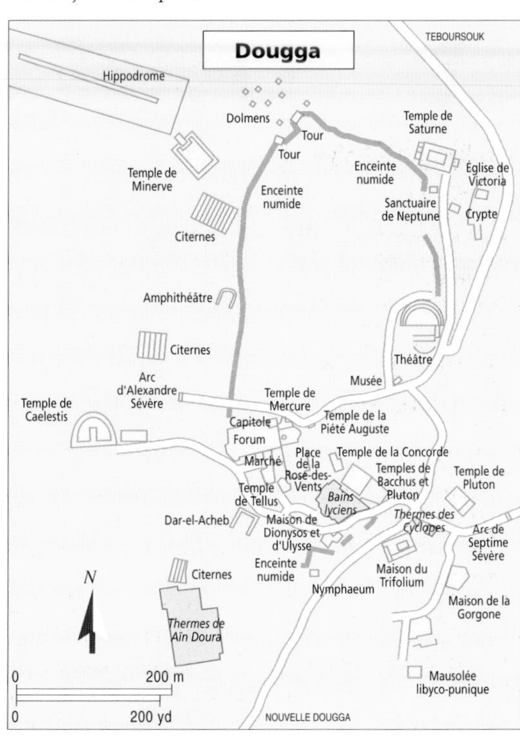

Le couscous

La pyramide dorée de grains fumants, appelée couscous, est le plat national de la Tunisie, et de toute l'Afrique du Nord. Il est préparé à partir de **semoule** (blé finement concassé) légèrement mouillée et roulée en grains que l'on peut aujourd'hui acheter toute prête en sachets. Le couscous cuit au-dessus d'un **ragoût** parfumé, confectionné de manière traditionnelle avec sept légumes. Il est servi avec de la viande ou du poisson. Une fois cuits, les grains sont pilés dans un plat sur lequel est versé le ragoût de légumes et son bouillon, le tout couronné de viande. Une coupelle de sauce harissa très épicée vient accompagner le tout.

Le couscous se prête à bien des interprétations. Il est délicieux en **salade** et peut très bien remplacer le riz.

Très bien conservé à l'abri de la forteresse byzantine qui l'encadre, le **capitole** compte parmi les plus beaux vestiges d'Afrique du Nord. Donné à la ville par la famille Marcii qui finança également le théâtre au IIe siècle, le capitole regarde vers la ville et la vallée en contrebas. Il est dédié à Jupiter, Junon et Minerve censés protéger les empereurs de l'époque, Marc Aurèle et Lucius Verus.

À l'ouest s'élèvent le **forum** et le triomphale **arc de Sévère Alexandre**, érigé en 205 apr. J.-C. lorsque Dougga devint un municipe. À une centaine de mètres à l'ouest, le **temple de Caelestis** se dresse au milieu d'une singulière cour en hémicycle. Junon Caelestis était l'équivalent romain de la déesse carthaginoise Tanit.

Il ne faut pas manquer la maison close de la ville appelée,

Ci-contre : *le temple de Saturne est le plus beau monument de Dougga : les visiteurs arrivent en foule au crépuscule, lorsque les derniers rayons de soleil font rougeoyer ses vieilles pierres.*

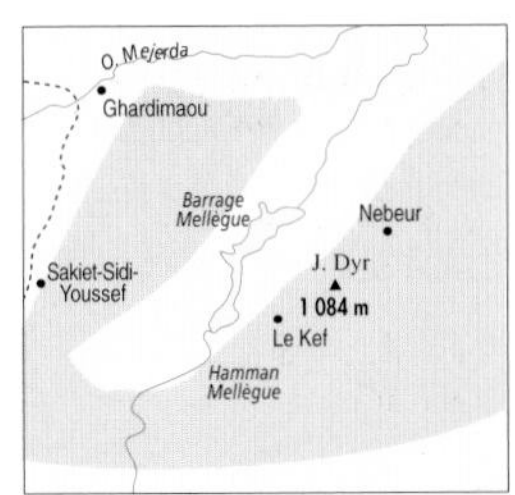

Ci-contre : *les deux coupoles de la mosquée Sidi bou Makhlouf dans la ville pittoresque du Kef, sur le djebel Dyr, dominent le lointain horizon.*

par euphémisme, **maison du Trifolium**, car la pièce principale épousait la forme d'une feuille de trèfle. L'entrée était jadis décorée d'un phallus en pierre qui a aujourd'hui été retiré. À côté se trouvent les **thermes des Cyclopes**, du nom de la mosaïque qui y a été retrouvée. Le principal point d'intérêt reste cependant les **latrines publiques** bien conservées.

Le quartier résidentiel du site abrite de nombreuses **villas** luxueuses, la plus belle étant la **maison de Dionysos et d'Ulysse**, dont les mosaïques sont désormais conservées au musée du Bardo à Tunis. À proximité se dresse le seul témoignage de l'architecture libyco-punique de Tunisie : un **mausolée** construit au IIIe siècle av. J.-C. à la mémoire du chef numide Ateban.

Le Kef

Le site sur lequel s'étage ce village pittoresque et préservé, à 800 m d'altitude sur le djebel Dyr, est occupé depuis le Néolithique. Des outils en pierre ont d'ailleurs été mis au jour dans les **grottes calcaires** avoisinantes. Dominant les plaines en contrebas, parsemé de cascades et offrant des abris dans ses nombreuses grottes, le site a toujours joui d'une position privilégiée.

Le Kef fut dès le Ve siècle av. J.-C. une **forteresse** carthaginoise, mais son nom n'est entré dans l'histoire que lors des guerres puniques. Sicca, de son ancien nom, accueillit les mercenaires dont la solde n'avait pas été réglée et qui se soulevèrent contre leurs maîtres lors de la « guerre des Mercenaires ». Cette guerre cruelle inspira à Gustave Flaubert son récit *Salammbô*.

Les bijoux en argent

Le souvenir le plus « tendance » que vous puissiez ramener est un vieux bijou berbère. Souvent assez lourds, ils sont vendus au poids. Si certains sont difficiles à porter en raison de leurs motifs très élaborés, les petits **colliers** et paires de **bracelets** sont très prisés. Les larges **broches** en forme de croissant et les gigantesques **boucles d'oreilles** sont souvent retravaillées pour obtenir des **pendants** plus utiles. Parmi les motifs figurent presque toujours le **poisson**, symbole de fertilité et de chance, et la **main de Fatma**, fille du Prophète, dont vous pourrez voir les doigts un peu partout en signe de protection contre le mauvais œil.

Ci-contre : *l'ancienne synagogue du Kef, abandonnée depuis longtemps, témoigne d'une époque plus cosmopolite.*

La faune et la flore

Plus de la moitié de la Tunisie jouit d'un climat méditerranéen et abrite donc une vie animale et végétale typique de l'Europe du Sud, la région du désert formant une limite naturelle entre la végétation africaine et méditerranéenne. La plante la plus cultivée est le **palmier-dattier** suivie par l'**olivier** (30 millions d'arbres).

Le désert, qui couvre environ le quart du pays, abrite des plantes familières des sols arides : **agaves**, **figues de Barbarie**, **chardons** et autres arbrisseaux spinifères. Le **tamaris** et le **laurier-rose** s'épanouissent dans les oueds, où coule périodiquement de l'eau.

La faune tunisienne a récemment souffert de la chasse et de l'extension de la présence humaine. Le plus gros mammifère est le **buffle d'Inde** et le plus petit la **musaraigne pygmée**. Sur les hauteurs boisés du Nord, il est possible d'apercevoir des **genettes**, **renards roux** et **cerfs de l'Atlas**. Dans le Sud, la **gerboise** du désert est parfois visible de nuit. Jadis nombreuses, les **gazelles** sont devenues rares et les **phoques moines** plus encore. Il n'en reste plus aujourd'hui qu'une colonie protégée sur les îles de Zembra et Zembretta.

Sous l'occupation arabe, à partir de 688 apr. J.-C., la ville prit le nom de Chakbanaria avant de s'appeler Le Kef (le rocher) au XVIIe siècle.

Flâner à travers la ville en admirant le paysage est le plus grand plaisir qu'offre Le Kef. Certains monuments valent néanmoins d'être visités. L'ancienne **médina** se niche à flanc de colline, sous les remparts de la **casbah**, et au centre-ville coule une source – **Ras-el-Ain** – qui alimente la ville depuis sa fondation. À proximité de la source s'étendent les **thermes romains** avec leur impressionnante chambre hexagonale. On observera l'**église byzantine** adjacente et, de l'autre côté de la rue, d'anciennes **citernes** soutenues par des dizaines de colonnes de marbre.

Le **musée régional d'Art et de Traditions populaires** du Kef n'est pas tant consacré à l'histoire ancienne qu'à l'artisanat bédouin traditionnel et à la vie locale. Ouvert du mar. au sam. de 9 h 15 à 15 h 30, et le dim. de 9 h à 14 h 30.

À 4 km du Kef, par une piste quittant la route de Saket-sidi-Youssef on accède à **Hamman Mellègue**, occasion rare de se baigner dans une **cuve thermale romaine** d'origine. Des quatre thermes romains d'époque, un seul est encore utilisé sous forme de *hammam*. L'eau jaillit d'une source naturelle à 50 °C et se rafraîchit avant de s'écouler dans les bassins. Les femmes peuvent se baigner de 12 h à 14 h et les hommes à partir de 14 h.

Le nord de la Tunisie en un coup d'œil

Quand partir ?

Le nord du pays est bien moins fréquenté que les stations plus touristiques du Sud. Il vaut néanmoins mieux éviter les mois de juillet et août pour être tranquille. On peut se baigner d'**avril** à **octobre**. Pour la visite de ruines, mieux vaut partir tôt le matin afin d'éviter les autocars touristiques (la lumière est également plus belle) ou s'attarder et profiter du coucher de soleil.

Comment s'y rendre ?

Autocars et **trains** relient Tunis à Bizerte. De là, il est possible d'emprunter des bus pour se rendre dans les stations balnéaires et au-delà, à Tabarka et Aïn-Draham.
Les ***louages*** desservent les communes limitrophes ainsi que Tunis. Depuis Aïn-Draham, des bus conduisent à Jendouba et Le Kef. Pour se rendre à Bulla-Regia, prendre un **taxi** à Jendouba. Pour Dougga, emprunter un taxi depuis la ville la plus proche, Téboursouk, d'où partent des autocars pour Tunis et Le Kef.

Moyens de transport

Les routes sont dans l'ensemble en bon état. Il vous faudra vous munir d'une carte routière détaillée pour identifier les lieux situés en dehors des sentiers battus. Les principales voies de circulation sont la route côtière entre Tunis et Tabarka, avec un embranchement à Bizerte, et la route Nord-Sud entre Tabarka et Le Kef. La population locale emprunte souvent le bus pour se déplacer et l'on peut tabler sur deux départs par jour depuis la plupart des villages.

Hébergement

Bizerte

Hôtel Petit Mousse, Route de la Corniche, tél. (02) 432185. Charmant petit hôtel en bordure de plage, proposant une excellente cuisine.

Hôtel Corniche, Route de la Corniche, tél. (02) 431844. Hôtel 3 étoiles en bord de mer.

Tabarka

Hôtel Les Mimosas, en retrait de l'avenue Habib-Bourguiba, tél. (08) 644376. Hôtel 3 étoiles offrant un beau panorama.

Hôtel Les Aiguilles, Rue Hedi-Chakar, tél. (08) 644183. Ancien hôtel colonial près de la plage. Bon rapport qualité-prix.

Aïn-Draham

Hôtel Beau Sejour, Avenue Habib-Bourguiba, tél. (08) 647005. Hôtel pittoresque orné de trophées de chasse. Le seul hôtel de la ville.

Hôtel Les Chànes, tél. (08) 647211. Ancien pavillon de chasse dans la forêt de liège, à 7 km de la ville.

Le Kef

Hôtel Sicca Veneria, Place de l'Indépendence, tél. (08) 221561. 3-étoiles, modeste mais le meilleur de la ville.

Restaurants

Bizerte

Restaurant du Bonheur, Rue Thalbi, tél. (02) 431047. Cuisine tunisienne simple et savoureuse.

Le Petit Mousse, Hôtel Corniche, Route de la Corniche, tél. (02) 432185. Les meilleurs plats de la ville dans l'hôtel du même nom.

Restaurant le Sport Nautique, tél. (02) 431495. À côté du canal, à la limite de la ville.

Tabarka

Restaurant Khemir, Rue Habib-Bourguiba, ne possède ni fax ni téléphone. Bel éventail de fruits de mer à des prix raisonnables.

Visites et Excursions

Au départ de Tabarka

Abou Nawas Travel, tél. (08) 644444. Une sélection complète d'excursions d'une demi à une journée à Aïn-Draham, Bulla-Reggia et Dougga. L'agence propose également une visite de Tabarka en une demi-journée, comprenant la visite de l'**usine de liège**, une sortie plutôt populaire.

Adresses utiles

Office de tourisme de Bizerte, Avenue Taieb-Mehiri, tél. (02) 432897.

Office de tourisme de Tabarka, Avenue Habib-Bourguiba, tél. (08) 644491.

4
La péninsule du cap Bon

La péninsule du cap Bon se détache du continent tel un doigt pointé vers la Sicile. Partie la plus septentrionale de la **Dorsale**, la péninsule est sans conteste la cour de récréation de la Tunisie. Sur le plan géographique, c'est l'une des plus belles régions du pays, avec ses longues plages de sable qui la vouent au tourisme. Toutefois, dès que l'on s'éloigne de la côte, le paysage ponctué d'arbres fruitiers et de vignobles évoque davantage l'Italie que l'Afrique du Nord.

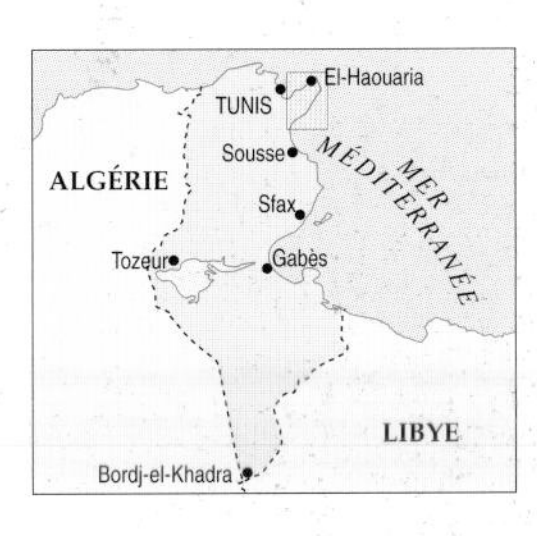

Selon la saison, le visiteur pourra s'attarder sur de petits **marchés** de fruits et légumes frais et de fruits à coque. Les petits exploitants montent même leur propre étal le long de la route et vendent directement leurs produits aux automobilistes de passage. À l'automne, après les vendanges, les routes sont encombrées de camions regorgeant de raisin qui se dirigent vers les établissements vinicoles locaux.

Aussi conséquent soit-il, l'afflux de touristes n'a guère altéré le charme authentique de la région. Si vous éprouvez de l'aversion pour les touristes, mieux vaut éviter la zone **Hammamet-Nabeul** et vous rendre directement dans l'arrière-pays peu fréquenté. De dimensions raisonnables, les nombreux hôtels qui ponctuent le littoral ne se démarquent pas de l'architecture locale même si quelques monstres ont réussi à s'implanter. La côte occidentale du cap Bon est plus accidentée et moins aménagée. C'est l'endroit idéal pour se retrouver au calme, loin des foules. Le littoral du cap attire également les marins qui peuvent explorer en toute tranquillité ses minuscules criques rocheuses. Les luxueuses **marinas** offrent en fin de journée des mouillages sûrs.

À NE PAS MANQUER

*** **El-Haouaria :** à visiter durant le festival de la chasse au faucon, en juin.
** **Hammamet :** voir sa médina et sa superbe plage.
** **Nabeul :** fascinant marché aux chameaux et belle poterie.
** **Kerkouane :** la seule ville véritablement phénicienne parvenue jusqu'à nous.
** **Korbous :** détente dans ses sources d'eau chaude.

Ci-contre : *dans le vieil Hammamet, murs et dômes, d'un blanc éclatant, comptent parmi les paysages les plus photographiés de Tunisie.*

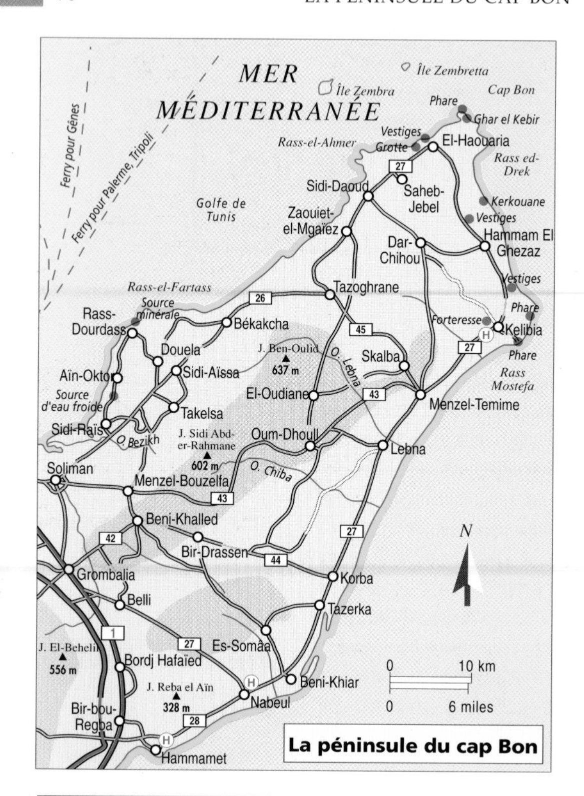

La péninsule du cap Bon

HAMMAMET

Hammamet est le principal centre touristique du littoral tunisien et la plus grande station de villégiature du pays. Une centaine d'hôtels s'étirent le long de la baie sablonneuse. En haute saison, on dénombre environ douze touristes pour un habitant. Toute la région étant axée sur la satisfaction des besoins des vacanciers, on peut y pratiquer toutes sortes de sports nautiques ainsi que le golf et l'équitation. Il est vrai que l'endroit se prête au tourisme : une **plage somptueuse**, la seule du pays à être orientée au sud, et une situation à l'abri des vents grâce au rempart formé par les collines.

Le plus surprenant est que le tourisme ait gagné si tard cet endroit privilégié. Dans les années 1920, Hammamet retient l'attention d'un millionnaire roumain, George Sebastian, qui y bâtit une maison alors que ce n'est encore qu'un village de pêche endormi. D'autres villas discrètes mais élégantes sont construites à sa suite, et des étrangers aisés s'installent dans le village. Au nombre des premiers visiteurs célèbres figurent Oscar Wilde, Paul Klee et André Gide. La Seconde Guerre mondiale met fin à ce développement et, durant la campagne d'Afrique, la maison de George Sebastian est réquisitionnée par les Allemands et occupée quelques nuits par Rommel.

À la fin de la guerre, Hammamet retrouve son rôle de destination de vacances, mais son essor ne commence véritablement que dans les années 1960. La résidence du millionnaire est intégrée au **Centre culturel** tandis que la plupart des villas

LE CLIMAT DU CAP BON

Le cap Bon est un promontoire rocheux, à l'extrême pointe de la Dorsale. Les **étés** y sont chauds et secs grâce à la chaleur emmagasinée par la Méditerranée. L'atmosphère est toutefois tempérée par des brises qui balaient le promontoire et en font un endroit idéal pour la pratique de la voile.

L'**hiver**, les températures sont douces et le climat un peu pluvieux. Le littoral du Sud-Ouest, abrité, est moins venteux et jouit d'un climat plus doux.

sont noyées sous les aménagements entrepris pour faire d'Hammamet un lieu de villégiature. Le Centre culturel propose aujourd'hui pièces de théâtre et manifestations musicales en juillet et en août. Le reste de l'année cette splendide demeure mérite une visite, ne serait-ce que pour son style architectural original. Ouvert les lun., mer. et ven. de 10 h à 12 h et de 15 h à 17 h.

La vieille ville se prolonge par-delà les remparts de la **médina** (XVe siècle), étonnamment préservée malgré l'afflux de touristes. Dominée par une **casbah** aux murs élevés, elle s'étend sur un promontoire rocheux qui s'avance dans la mer. La médina abrite la **Grande Mosquée** édifiée au XVe siècle et, à proximité, la mosquée Sidi Abdel Khader du XVIIIe siècle. La casbah a été abondamment restaurée, mais jouit d'un panorama spectaculaire sur la médina et le port depuis les remparts. Ouverte t.l.j. de 8 h à 21 h en été, et de 8 h à 16 h en hiver.

Si vous souhaitez vous dépayser, essayez de remonter la vallée de l'oued Fouara menant à une petite cascade. Si vous le préférez, vous pouvez également louer un cheval et suivre les petits cours d'eau jalonnant le lit de la vallée. Chevaux et guides sont proposés à côté de l'hôtel Fouarti. Pour les plus courageux, reste la visite des ruines du **temple romain** de Thinissut, dédié au dieu punique Baal et à Tanit, sa « compagne ». Certaines des statues trouvées sur le site sont exposées au musée de Nabeul.

LE FESTIVAL D'HAMMAMET

Ce festival, qui se déroule chaque année de juillet à la mi-août, est l'un des principaux événements culturels du calendrier tunisien. Le **Centre culturel** accueille des concerts et d'autres manifestations. Mis à part le **théâtre**, la **musique** et la **danse**, le festival permet d'admirer les prestations de grandes troupes de **danse traditionnelle** et de groupes folkloriques, qui se produisent dans le monde entier. Les spectacles ont lieu dans un magnifique cadre offrant au-dessus de la scène, une vue splendide sur la mer.

Ci-contre : *bien que la plage d'Hammamet compte aujourd'hui parmi les plus belles et les plus fréquentées de Tunisie, il est encore possible d'y voir des pêcheurs réparer leurs filets au crépuscule – le tourisme n'a gagné que tardivement cet endroit privilégié.*

LES CHAMEAUX

Que serait l'Afrique du Nord sans ses chameaux ? Les chameaux ne sont pourtant parvenus que tardivement sur les terres du Sahara. Le chameau domestique que l'on connaît aujourd'hui sous le nom de **dromadaire** est originaire d'**Arabie**, où il est apparu quatre millénaires av. J.-C. C'est parce qu'il est parfaitement adapté à la vie sous ces latitudes qu'il s'est rapidement rendu indispensable à l'homme.

Les chameaux n'ont été importés en Afrique du Nord par les colons romains qu'au Ier siècle apr. J.-C. Rapidement devenu le principal animal domestique, on les élève pour leur **laine**, leur **lait**, leur **viande** et comme **moyen de transport.**

NABEUL

Nabeul, qui dirige administrativement le cap Bon, est une ville à visiter à pied. La terre de la région se prêtant admirablement à la confection de céramiques, la ville regorge de **magasins de poterie et d'artisanat** en tous genres. À la première intersection, se dresse un grand pin araucaria dans un pot géant, digne de la caverne d'Ali Baba, façonné autour de l'arbre.

La terre sert également à la fabrication de **panneaux de carreaux en faïence** qui sont la marque des émigrants andalous ayant installé leurs ateliers dans la ville. Si vous redoutez la perspective d'avoir à transporter vous-même ces panneaux jusque chez vous, vous pouvez acheter les carreaux séparément et reconstituer le panneau par la suite.

Nabeul fut fondée au XIIe siècle, quelque peu en retrait de la mer afin de se protéger des attaques navales. Devenue une ville de pêche commerciale également dotée de quelques industries légères, Nabeul compte également des artisans travaillant le fer forgé et des sculpteurs sur pierre. Elle bourdonne aujourd'hui de touristes en quête de bonnes affaires dans ses nombreux bazars. Chaque vendredi se tient le **marché aux chameaux** où l'on vend de tout sous le soleil, y compris des chameaux. Ce jour-là, le centre-ville est fermé à la circulation.

Ci-contre : *femmes berbères vêtues pour se rendre au marché aux chameaux qui attire aussi bien la population locale que les touristes.*

Un petit **musée** sur l'avenue Bourguiba, près de la gare de chemin de fer, abrite une modeste mais très intéressante collection d'antiquités romaines et puniques. Sa cour est ornée de mosaïques dépeignant des scènes de l'Iliade.

Au sud de la ville s'étend le site de Neapolis, prospère entre le Ve siècle av. J.-C. et le VIIe siècle apr. J.-C. Ses vestiges, et plus particulièrement ceux d'un palais, ont en partie été dégagés. Ce vaste palais semble avoir quelque rapport avec les jeux, notamment les compétitions d'athlétisme, donnés dans tout l'Empire romain en l'honneur de la déesse Artémis. On y trouve égale-

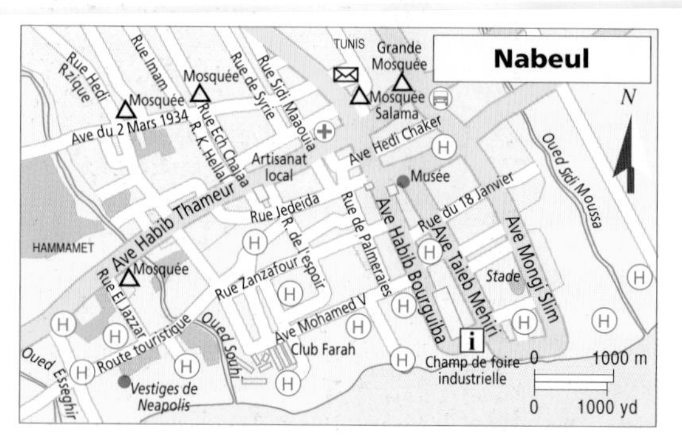

ment les vestiges d'un complexe fabriquant du *garum*, une sauce à base de poisson plutôt piquante dont les Romains étaient friands. On sait qu'elle était préparée à partir d'épices et de poisson fermenté, mais la recette originale a été perdue. Le site est ouvert tous les jours, de l'aube au crépuscule.

Hammamet est également réputée pour sa **vie nocturne**, qui peut s'avérer très animée en haute saison. La ville compte une large palette de restaurants et de boîtes de nuit proposant des spectacles. Attendez-vous à assister à des danses du ventre ainsi qu'aux prestations des cracheurs de feu et des jongleurs.

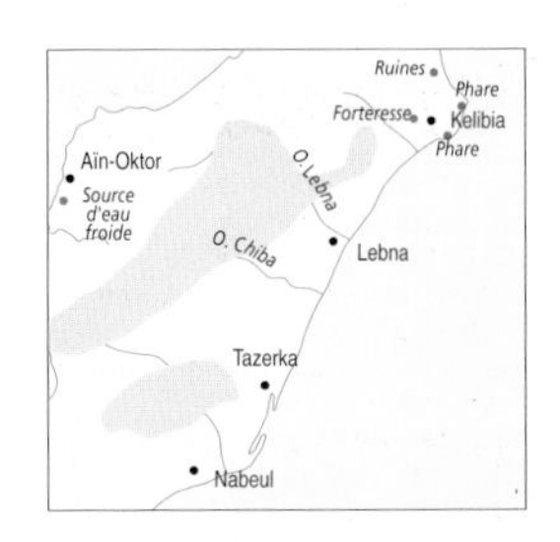

Les moutons à grosse queue

Ainsi nommés en raison de la grande quantité de **graisse** accumulée autour de leur arrière-train, ces moutons, très prisés pour leur **laine** et leur **lait**, abondent dans toute l'Afrique du Nord. Leur laine est utilisée pour tisser des **tapis**, les poils étant longs et épais. Parfaitement adaptés à la vie en zone aride, ils représentent 25 % du cheptel ovin mondial.

Kelibia

Dominée par une étonnante **forteresse**, la ville de Kelibia est un lieu de villégiature beaucoup plus calme que Nabeul, située plus au sud. La ville possède un port de pêche et quelques bons restaurants spécialisés dans les fruits de mer. C'est ici également qu'est produit un **vin Muscat** unique. La ville elle-même se trouve à 2,5 km du port et constitue un endroit charmant pour flâner. Ses nombreuses mosquées sont ornées d'une kyrielle de lampes qui confèrent à la ville une atmosphère festive. De plus, l'activité des différents **ateliers** de fabrication de tapis, objets en métal et sculptures sur bois crée de l'animation dans les rues. Le tourisme de masse est en passe de gagner également cette partie du cap Bon, et des projets de construction de nouveaux hôtels sont à l'étude.

De juin à septembre, vous pouvez rejoindre la Sicile en **hydrofoil**, ce qui peut constituer une destination intéressante si vous disposez du temps nécessaire. Le voyage dure deux heures mais il faut acheter les billets à Tunis ou à Sousse.

Accessible *via* une route pentue menant à l'entrée, la **forteresse** est le principal centre d'intérêt de Kelibia. Cet ancien fort romain fut agrandi et doté d'une enceinte

Ci-dessus : *le port de Kelibia est l'endroit idéal pour goûter aux plats locaux à base de poisson.*

par les Byzantins mais détruit par la suite. Reconstruit, il fut à plusieurs reprises mis à sac par les Espagnols au XVIe siècle. Durant la Seconde Guerre mondiale, il fut occupé par les forces de l'Axe et endommagé par les bombes alliées.

La ville romaine d'origine, dénommée Clupea, fait cercle au pied de la forteresse. Les vestiges de maisons d'époque sont aujourd'hui encore visibles. À la sortie de la ville, par la route principale, sont éparpillées les restes d'un **temple romain** ciselé de quelques belles décorations et, un peu plus loin, les vestiges d'une **villa** datant du IVe siècle (sur lesquels a été placée une châsse islamique à la mémoire d'un saint homme de la région).

Une série de **tombeaux puniques**, creusés dans la roche, sont visibles au nord de la forteresse. Une vingtaine d'entre eux ont été sculptés dans la roche et atteignent une profondeur de 2 mètres.

LA PÊCHE

Les eaux tunisiennes sont peuplées d'une grande variété de poissons. Différentes techniques de pêche sont pratiquées le long des 1 200 km de littoral que compte la Tunisie : pêche à la **canne et à l'hameçon**, au **filet** et avec un appareil de **levage vertical**. Nombre de lieux de villégiature proposent des sorties de pêche à la journée ou demi-journée, mais pour s'adonner à la pêche sous-marine un permis est nécessaire. Mieux vaut entrer en relation avec le Centre nautique international de Tunisie pour plus d'informations, tél. (01) 282209.

Kerkouane **

À 9 km au nord de Kelibia, Kerkouane est le plus intéressant de tous les **sites puniques** de Tunisie. Datant au moins du VIe siècle av. J.-C., il est demeuré intact jusqu'à sa mise à sac par Regulus, en 256 av. J.-C. La ville s'est ensuite éteinte, et ce qu'il en reste représente un bon témoignage de la vie carthaginoise.

Ayant échappé aux ravages de l'Empire romain, Kerkouane est bien mieux conservée que d'autres villes puniques. La ville aurait été le centre de production locale de pourpre, selon un procédé originaire de Tyr en Phénicie et introduit en Afrique du Nord. La teinture était obtenue à partir d'un mollusque, le murex. La technique utilisée pour produire le pourpre véritable a fait la fortune de ceux qui étaient capable de l'exploiter. Cette teinture était tellement chère qu'elle n'était accessible qu'à la noblesse romaine.

Un **musée** a été construit sur le site, où est exposée une fascinante collection de bijoux, de pierres semi-précieuses, de poterie importée par des potiers grecs d'Italie du Sud, de figurines représentant les dieux du foyer et la superbe partie supérieure d'un sarcophage en bois dépeignant la déesse Astarté.

Les rues de Kerkouane ont été conçues et exécutées d'après un tracé des plus ingénieux. Les maisons sont équipées d'installations de plomberie et d'évacuation sophistiquées. Les sols recouverts de marbre et d'éclats de verre bleu témoignent du luxe des demeures. Au centre du site se trouvent les vestiges d'un **sanctuaire**. À l'écart de la salle de prière et de la cour des sacrifices, se trouve une pièce dotée d'un four où étaient fabriquées de petites figurines votives en terre cuite. Ouvert t.l.j. sauf le lun. de 9 h à 12 h et de 14 h à 19 h.

Le culte d'Astarté

Astarté ou Ashtart était l'une des divinités les plus importantes pour les **Phéniciens**. Son culte était solidement ancré en Phénicie, la mère patrie, lorsque les colons fondèrent des villes en Afrique du Nord.

Originaire du panthéon **babylonien**, elle a d'abord été connue sous le nom de **Ishtar**. Astarté symbolisait tout ce qui est lié à la féminité et était vénérée en tant que **déesse de la fécondité**, **grande-mère** et **reine du paradis**. L'histoire de ses amours avec **Tammuz** est identifiée à celle d'Aphrodite et d'Adonis.

Ci-contre : *bien qu'il ne soit pas à première vue le plus passionnant, le site de Kerkouane abrite néanmoins les vestiges puniques les mieux conservés du pays, ayant échappé aux ravages causés par l'Empire romain.*

L'ART DE CONFECTIONNER UN BRICK

Préparé avec une pâte fine comme une feuille de papier, garnie d'une délicieuse farce et d'un œuf cru, le *brik à l'œuf* est un plat typiquement tunisien. La garniture est placée au centre d'un rond de pâte abaissé au rouleau, et un œuf est cassé au milieu. La feuille de pâte est ensuite repliée sur elle-même de manière à former un croissant puis plongée dans l'huile jusqu'à ce que l'œuf soit tout juste cuit mais le blanc encore baveux. Ce plat, confectionné pour être mangé **sur le pouce**, était à l'origine censé être dégusté avec les mains. Venir à bout d'un brick sans répandre de blanc d'œuf sur soi exigeait une grande dextérité et beaucoup de pratique. Il est aujourd'hui proposé dans les menus des restaurants, où il est servi dans une assiette et généralement mangé à l'aide d'un couteau et d'une fourchette.

El-Haouaria

Située à l'extrémité du cap Bon, cette petite ville peut se targuer de quelques belles plages voisines, notamment celle de Rass-ed-Drek le long du littoral méridional de l'appendice. Elle vit essentiellement de la pêche au thon, mais est surtout renommée pour sa **fauconnerie**. La pointe du cap Bon constitue en effet un couloir de passage à travers la Méditerranée pour les oiseaux migrateurs, et notamment les faucons. Certains de ces oiseaux sont capturés tout jeunes au printemps et entraînés à chasser. En juin se tient un grand **festival de la chasse au faucon**, au terme duquel tous les oiseaux, ou une bonne partie d'entre eux, sont libérés. Le **marché**, qui se tient le vendredi en ville, est l'occasion rêvée d'approcher des fauconniers.

À part boire d'innombrables cafés et admirer cette ville bleue et blanche plutôt jolie, il n'y a pas grand-chose à faire à El-Haouaria. Vous pourrez toute de même goûter aux minuscules et délicieuses bananes locales, qui ne poussent nulle part ailleurs en Tunisie.

Grottes et carrières environnantes

À deux kilomètres au nord-est de la ville se dressent des **carrières romaines** formant une succession de cavernes. Les immenses blocs de pierre extraits de ces carrières, d'abord par les Carthaginois puis par les Romains, étaient taillés puis exportés par bateau à Carthage. L'exploitation des carrières a donné lieu à la formation d'extraordinaires grottes en forme de pyramides, accessibles par des ouvertures pratiquées au sommet, par lesquelles s'infiltre la lumière du jour.

Ci-dessous : *pour qui veut s'éloigner des foules et faire des promenades dans la nature le long de sentiers côtiers, le cap Bon est l'endroit idéal.*

Ci-dessus : *que vous soyez ou non atteint d'une affection, un bain dans la très prisée source d'eau chaude de Korbous ne vous fera que du bien.*

À quelque 4 km du village et des carrières, en remontant la piste, les grottes sont peuplées de chauve-souris. Si vous ne souhaitez pas vous accompagner d'un guide pour les visiter, munissez-vous d'une bonne lampe électrique. Les randonneurs apprécieront le panorama au sommet du djebel Abiod, dont les 393 m de dénivelé ne sont pas difficiles à gravir et qui s'étire vers le littoral occidental et, au large, vers les îles de Zembra et de Zembretta. Fermées au public, ces îles sont aujourd'hui des **réserves naturelles**, placées sous la protection de l'armée.

Korbous

À l'exception de quelques belles plages, Korbous constitue le principal attrait du littoral septentrional. Station thermale renommée depuis l'époque romaine, la ville possède des **sources minérales d'eau chaude** , qui continuent d'attirer les malades. Baptisées Aquae Calidae Carpitanae par les Romains, les sources attiraient des cargaisons de Carthaginois. Au XIXe siècle, Ahmed Bey bâtit un palais à proximité de la source, qui a été agrandi au début du siècle pour y établir un établissement thermal. Des projets sont à l'étude pour transformer l'établissement et élargir sa vocation médicale au tourisme en général. L'eau, contenant calcium, soufre et sulfates, est indiquée dans le traitement de l'arthrose, des affections cutanées et respiratoires.

À quelques kilomètres de Korbous, à **Aïn-Oktor**, coule une source d'eau minérale froide, au goût particulier, mise en bouteille sur place. Absorbée en grandes quantités, elle soulagerait les affections rénales et autres problèmes du même genre.

Le marché aux épices

Dans toutes les villes tunisiennes, laissez-vous guider par votre odorat pour trouver le marché aux épices. L'historien **Hérodote** évoquait déjà le parfum épicé et la douce senteur de l'Arabie qui perdurent de nos jours. La cuisine du **Maghreb** fait usage des épices de l'ancienne **Perse** et du **Bagdad** médiéval.

Les épices les plus utilisées sont la **cannelle**, pour sa douceur, le **safran**, pour son arôme délicat et sa couleur, le **gingembre**, pour son pouvoir aromatique, la **coriandre**, dont les graines sont grillées et pilées afin d'enrichir les plats, et **l'harissa**, confectionnée à partir de piments, pour sa saveur piquante et sa couleur rouge vif, qui se vend toujours sous forme de pâte (munissez-vous de votre propre bocal).

La péninsule du cap Bon en un coup d'œil

Quand partir ?

C'est à la fin du **printemps** et au **début de l'automne**, lorsque la température de la mer est agréable et la chaleur supportable, que le temps est le plus propice à une visite. Juillet et août sont les mois les plus chargés et il vous faudra certainement réserver à l'avance pour trouver un hébergement à cette période.

De nombreux **festivals** et **manifestations** sont organisés tout au long de l'année. Parmi les plus importants :

Avril/mai – Fête du printemps de Nabeul.
Juin – Festival de la Chasse au faucon (El-Haouaria) et Festival des Arts populaires (Nabeul).
Juillet/août – Festival culturel international d'Hammamet.
Septembre – plusieurs fêtes de la Vigne dans les villages.
En dehors de ces manifestations, ne pas oublier les marchés hebdomadaires de Kelibia (lundi), Hammamet (jeudi) et Nabeul (vendredi).

Comment s'y rendre ?

Hammamet est située à 1 h 30 de Tunis par le **train** avec un changement à Bir-bou-Rekba. De là, des trains desservent Nabeul et Hammamet. Depuis cette gare de correspondance, vous pouvez également gagner le Sud : Sousse et Sfax *via* El-Jem.
En été, un **hydroptère** rallie trois fois par semaine Trapani (Sicile). Les billets sont en vente auprès de Tourafric à Tunis, tél. (01) 341481 ou 341488, ou de son antenne à Sousse, tél. (03) 24277.

Moyens de transport

Les **bus** de la région sont gérés par la SRTG de Nabeul et desservent tant la capitale que les petites villes du cap Bon. Les départs sont fréquents et le transport rapide. Pour se rendre à El-Haouaria, prendre un bus et changer à Kelibia. Des voitures de ***louage*** parcourent aussi différents itinéraires le long de la côte méridionale et dans l'arrière-pays. Elles desservent également Tunis. Pour gagner des villes peu fréquentées, vous devrez prendre un **taxi** à l'aller et au retour depuis Nabeul ou Kelibia.

Hébergement

Dans les grandes zones touristiques, les possibilités d'hébergement sont nombreuses. En revanche, les villes de moindre importance ne comptent généralement qu'un ou deux hôtels.

Hammamet
Hôtel Sindbad, Avenue des Nations-Unies, tél. (02) 280122, fax 278999. L'un des trois 5-étoiles de la ville.
The Hammamet Sheraton, Avenue Moncef-Bey, tél. (02) 226555, fax 227301. Hôtel haut de gamme en bord de mer. Très beau décor.
Abou Nawas, tél. (02) 281344, fax 281089. Hôtel 4 étoiles.
Hôtel Alya, Rue Ali-Belhouane, tél. (02) 280218, fax 282365. Situé en ville avec vue sur la mer par-delà le cimetière musulman. Moins d'étoiles mais plus de cachet. Une excellente adresse.
Hôtel Sahbi, Avenue de la République, tél. (02) 280807, fax 280134. L'hôtel le moins cher de la ville.
Samira Club, tél. (02) 226185, fax 286100. Immense village touristique offrant toutes sortes de prestations.

Nabeul
Hôtel Kheops, Avenue Mohammed-V, tél. (02) 286555, fax 286024. Grand hôtel de luxe.
Hôtel Ramses, tél. (02) 286363, fax 286166. Hôtel en bord de mer avec piscine.

Kelibia
Palmarina, Route de la plage, tél. (02) 274062, fax 274055. Le meilleur hôtel de Kelibia, 3 étoiles.
Hôtel Mammounia, Route de la plage, tél. (02) 296088, fax 286858. Grand hôtel en bord de mer, avec activités nautiques et boîte de nuit.

El-Haouaria
Hôtel l'Epervier, Avenue Habib-Bourguiba, tél. (02) 297017, fax 297258. Petit hôtel 2 étoiles.

La péninsule du cap Bon en un coup d'œil

Korbous
Hôtel Aïn Oktor, à 4 km sur la route de Soliman, tél. (02) 284447, fax 284574. Principalement fréquenté par les clients des thermes.
Les Sources, Route de la plage, tél. (02) 284535. Petit hôtel simple avec piscine.

Restaurants

Hammamet
Le Berbère, Route de la Côte (sud), tél. (02) 80082. Bons plats à base de poisson dans ce restaurant central.
Sheherazade Restaurant, Avenue des Nations-Unies, tél. (02) 280436. Dîner-spectacle traditionnel avec danse du ventre.
Impériale, tél. (02) 282511. Restaurant chinois pour changer un peu.

Nabeul
Les Oliviers, Avenue Hedi-Chaker, tél. (02) 286613. Cuisine française raffinée, mais chère.
Le Corail, Avenue Habib-Bourguiba, tél. (02) 223342. Agréable et prix raisonnables.
La Rotonde, Plage de Nabeul, tél. (02) 286782. Restaurant de bord de mer offrant de belles vues.

Kelibia
Le Relais, Route de la Plage, tél. (02) 296173. Plats à prix raisonnables.
Cluppea, tél. (02) 296239. Sur la plage. Goûter aux fruits de mer.

El-Haouaria
Les Grottes, Route de la Plage, tél. (02) 297296. Établissement proposant de bons plats de la région.
L'Epervier, Avenue Habib-Bourguiba, tél. (02) 297107. Cuisine délicieuse mais très chère.

Visites et Excursions

Les possibilités d'excursion dans la péninsule et depuis le cap Bon sont multiples et les agences nombreuses. La plupart des excursions peuvent se faire en une journée, mais pour faire une **incursion dans le désert**, à Sbeïtla et dans les oasis du Sahara, comptez trois jours. La visite de **villages berbères** avec déjeuner sous une tente bédouine ne demande qu'une journée.
Autres circuits prisés : Tunis-Carthage-Sidi-bou-Saïd et Tunis-Kairouan ou Sousse. La visite d'El-Jem et, plus au sud, des **habitations troglodytes** de Matmata constituent une excursion d'une journée.
Si vous souhaitez explorer le cap Bon, des excursions d'une journée entière, vers de nombreux sites difficiles d'accès, sont proposées, notamment la **station thermale** de Korbous et certains **sites archéologiques**.
À Hammamet, des dizaines d'agences offrent des prestations comparables. Essayez : **Carthage Tours**, Rue Dag-Hammarskjoeld, tél. (02) 281926.
Abou Nawas Travel, Rue Abu-Dhabi, tél. (02) 280652.
À Nabeul, tentez :
Delta Travel, Avenue Habib-Bourguiba, tél. (02) 271077.
Salama Voyages, 18 avenue Habib-Bourguiba, tél. (02) 285804.
Si vous souhaitez visiter la région par vous-même, vous pouvez louer une voiture. Nabeul et Hammamet comptent plusieurs agences de location :
Avis, Rue de la Gare, Hammamet, tél. (02) 280164 ou hôtel Kheops, Nabeul, tél. (02) 286555.
Hertz, Avenue des Hôtels, tél. (02) 280187 ou Avenue Habib-Thameur, Nabeul, tél. (02) 285327.

Adresses utiles

Hammamet
Office de tourisme, Avenue Habib-Bourguiba, tél. (02) 280423.
Poste de police, Avenue Habib-Bourguiba, tél. (02) 280079.
Gare ferroviaire, Avenue Habib-Bourguiba, tél. (02) 280174.

Nabeul
Office de tourisme, Place du 7 Novembre, tél. (02) 223006.
Poste de police, Avenue Habib-Bourguiba, tél. (02) 285474.
Gare routière, Avenue Habib-Bourguiba, tél. (02) 285261.
Gare ferroviaire, tél. (02) 285054.
Taxi, tél. (02) 222444.
Office des festivals, Avenue Habib-Bourguiba, tél. (02) 286683 pour informations et billets.

5
Le centre de la Tunisie

Dénommée **Sahel**, la zone côtière du centre de la Tunisie recèle une pléiade de stations balnéaires bordées pour beaucoup par de très belles plages. Le tourisme y est donc très développé sans constituer pour autant une entrave à la culture locale ni gâcher le plaisir de visiter ces villes historiques. L'arrière-pays est plat pour l'essentiel et parsemé de **chotts**, ces vastes lacs salés caractéristiques du centre de la Tunisie. Les terres étant planes et basses, l'eau de mer s'infiltre dans le sol, recouvrant de vastes zones de quelques dizaines de centimètres de profondeur seulement.

Les chotts offrent un cadre idéal aux échassiers et il n'est pas rare d'apercevoir des bandes de **flamants** migrateurs. Ces lacs ne sont pas vraiment appréciés des hommes. En hiver, ils peuvent se transformer en dangereux bourbiers et des voyageurs non avertis s'y seraient perdus.

Le centre de la Tunisie est depuis longtemps le foyer de la culture des **oliviers** qui fleurissent partout, en petites exploitations ou grandes plantations. Certains des bastions des premiers colons, des négociants phéniciens installés dans la région au VIe siècle av. J.-C., sont devenus des villes importantes tandis que d'autres ont disparu au fil des ans.

Au large s'étirent les îles Kerkennah au relief peu marqué, vivant de la **pêche** et, dans une moindre mesure, du **tourisme**.

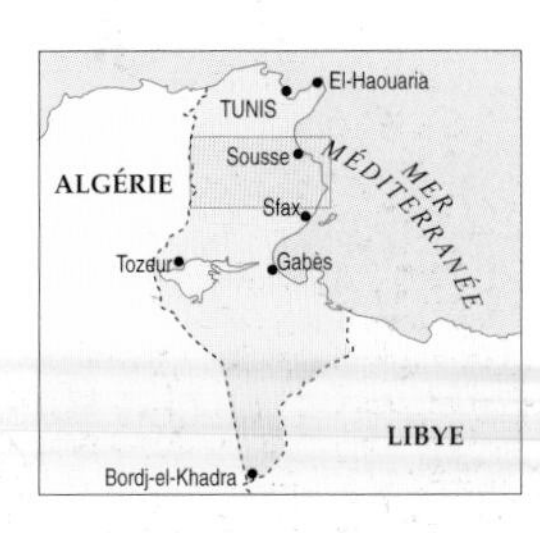

À NE PAS MANQUER

*** **Amphithéâtre romain (El-Jem) :** le quatrième au monde par la taille.
*** **Grande Mosquée (Kairouan) :** l'un des plus importants édifices islamiques du monde musulman.
** **Vestiges romains (Sbeïtla) :** valent le détour.
** **Mahdia :** à visiter pour son charme et son cadre.
* **Casbah (Sousse) :** cette impressionnante casbah abrite un charmant petit musée.
* **Ksar-Hellal :** ateliers de tissage traditionnel.
* **Musée du costume traditionnel (Monastir) :** belle exposition de costumes de mariage.

Ci-contre : *le temple de Jupiter domine le site de Sbeïtla.*

Sousse

Troisième ville du pays, **station touristique** et **cité industrielle**, Sousse est bien plus cosmopolite que n'importe quelle autre ville moderne du pays, à l'exception de la capitale. De longues **plages** et de nombreux hôtels de bord de mer s'étirent au nord, tandis que la vieille ville a su conserver son cachet historique et abrite de beaux édifices d'**architecture** arabe.

Plus ancienne que Carthage, Sousse était à l'origine un **port** phénicien et devint rapidement une ville prospère. La vaste place des sacrifices découverte à proximité de la Grande Mosquée témoigne de l'envergure des lieux à cette époque. Non loin d'ici, **Hannibal** débarqua à la fin de sa campagne d'Italie. Pour s'être opposée à Carthage lors de la troisième guerre punique, Sousse obtint de Scipion, en récompense de sa loyauté, le statut de ville libre sous les Romains. Elle perdit toutefois ce privilège par la suite et devient **Hadrumentum**, une colonie érigée sous Trajan.

Bien qu'assiégée et sévèrement endommagée par le général romain Cappellianus – à une époque marquée par des conflits de pouvoir entre les Romains – Sousse se montra prospère durant l'ère romaine. Devenue **Hunericopolis** sous les Vandales, puis **Justinianopolis** sous les Byzantins qui l'entourèrent de remparts, la ville fut réduite à néant après l'invasion arabe, et ses habitants furent massacrés ou réduits en esclavage. Sous le nom de **Susa**, elle devint une nouvelle colonie pour les émirs aghlabides qui l'encerclèrent à nouveau de remparts en utilisant les pierres des anciens murs byzantins. À la fin du VIIIe siècle, les Aghlabides construisirent le ribat et envisagèrent de transformer Sousse en une nouvelle cité arabe. La

Le climat du Centre

La zone centrale jouit d'un climat propre aux **steppes désertiques**. En été, la chaleur est torride et l'humidité faible. La mer est chaude compte tenu de sa moindre profondeur dans cette région. Au-delà du littoral, les chotts peu profonds et la mer concentrent les rayonnements ultraviolets.

Le climat de cette zone centrale diffère beaucoup de la moyenne. Les hivers très secs et les étés de sécheresse n'y sont pas rares.

Le marché du dimanche

Le marché découvert de Sousse compte parmi les plus intéressants du pays. Il commence tôt le matin, et les animaux qui y sont vendus constituent l'une des attractions pour les visiteurs. Les **chameaux** sont rassemblés et menés jusqu'au marché en troupeaux depuis les villes et villages environnants. Ces animaux belliqueux sont examinés par les acquéreurs potentiels et leur prix de vente fait l'objet d'un âpre marchandage. Le chameau est loin d'être donné : un jeune chameau en bonne santé peut valoir jusqu'à 6 000 dinars.

plupart des monuments arabes visibles aujourd'hui datent du IXe siècle, notamment la **Grande Mosquée**, la **casbah** et les **remparts**.

Jouissant à nouveau d'une certaine importance, Sousse fut une fois encore la cible d'attaques répétées de la part des Normands, des Espagnols, des Génois et même de beys arabes rivaux dans les années 1730. Très gravement endommagée par les Alliés au cours de la Seconde Guerre mondiale, une grande partie de la ville en dehors de la médina a dû être reconstruite. Les Français ont construit une voie de chemin de fer et un port qui constitue l'actuelle infrastructure de la ville.

Ci-dessus : *le ribat de Sousse se niche au cœur de la ville moderne.*

Ci-contre : *Sousse est connue pour sa chaudronnerie d'art, dont on peut voir ici quelques exemples, devant l'élégante Grande Mosquée.*

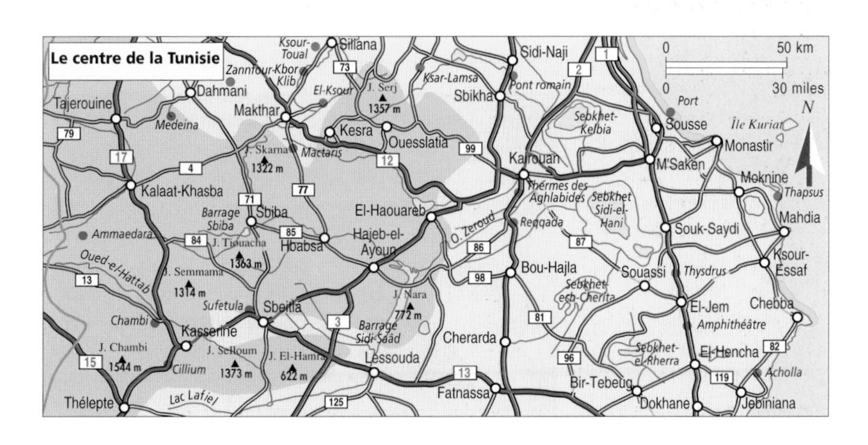

LES MOSQUÉES

Durant les premiers jours de l'islam, les fidèles, appelés par le **muezzin**, se réunissaient dans un espace ouvert pour la prière. Le lieu de la prière a par la suite été fermé, et la direction de **La Mecque**, désignée à l'origine par une simple **pierre**, a été signalée par une niche, ou **mirhab**. Le Sahara a conservé quelques-unes de ces premières mosquées vernaculaires.

Par la suite, avec la couverture de la **salle de prière** et l'adjonction d'une **cour** ouverte, l'architecture des mosquées s'est affinée. Les **minarets** ont permis de rendre l'appel à la prière plus audible. La cour est le lieu des ablutions rituelles avant la prière.

Même dans les mosquées modernes, les salles de prière sont toujours simples : des tapis couvrent le sol et à l'exception du **minbar**, une sorte de chaire d'où le maître du culte s'adresse aux fidèles.

La médina **

Tous les monuments historiques et les souks se trouvent à l'intérieur des remparts de la médina. Le point de départ idéal est la place des Martyrs à laquelle on accède grâce à une large brèche ouverte dans les remparts par les bombardements de la Seconde Guerre mondiale. Le **ribat** compte parmi les plus importants monastères fortifiés construits le long du littoral pour repousser les attaques lancées depuis la mer par les chrétiens et par les tribus berbères depuis l'arrière-pays. Édifié par les **Aghlabides**, le ribat de Sousse fut achevé en 821 apr. J.-C.

La **barbacane** est dotée de quatre ouvertures défensives placées au-dessus de la porte, par lesquelles de l'huile bouillante était versée sur les assaillants. La cour intérieure, entourée de cellules où logeaient les occupants, est en revanche très simple. En haut des 73 marches de la **tour de garde**, le panorama est extraordinaire. Le ribat est ouvert t.l.j. sauf le lun. de 9 h à 12 h et de 15 h à 18 h 30 (14 h-17 h 30 en hiver).

La Grande Mosquée *

Presque militaire dans sa conception, l'élégante **cour** préfigure ce qui, à l'époque, constituait une nouvelle approche de l'architecture. Aucune colonne romaine restaurée ni fioriture perse ne vient entraver la simplicité de la Grande Mosquée (jadis des chapiteaux romains soutenaient toutefois les arcs). Le texte coufique constitue la principale ornementation de la cour. On remarquera également les **minarets en forme de kiosques**. La Grande Mosquée a été rénovée en 1975. Les visites de la cour sont autorisées t.l.j. (sauf le ven.) de 8 h à 13 h.

Ci-contre : *la Grande Mosquée est unique en Tunisie et se démarque du style architectural de l'Afrique du Nord. Elle se distingue notamment par son escalier extérieur qui mène vers des remparts crénelés. À l'origine, il avait une vocation pratique puisqu'il conduisait vers deux tours défensives, d'où l'on pouvait surveiller le port.*

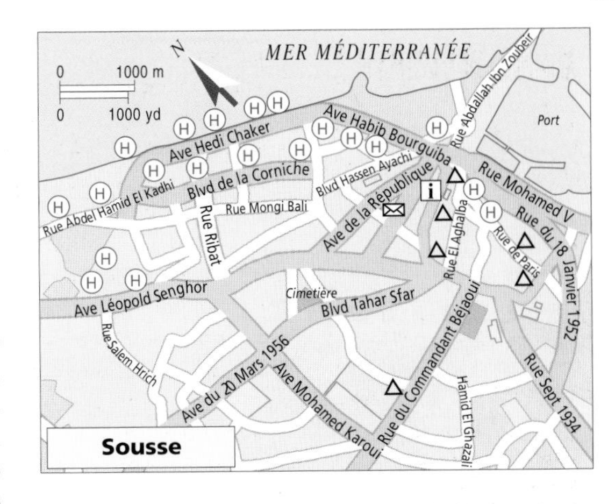

La casbah et son musée *

Situé au pied de la casbah, le musée archéologique présente la deuxième collection d'antiquités de Tunisie après celle du Bardo. La casbah a été édifiée à l'emplacement d'un ancien fort byzantin datant de 859 apr. J.-C. et possède une **tour** de 50 m de haut qui porte le nom de son constructeur, Khalef al-Fata. Du sommet, 30 m au-dessus du ribat, on jouit du plus beau panorama sur la ville. C'est en outre l'une des plus anciennes tours d'Afrique du Nord. L'étage le plus élevé n'est malheureusement pas ouvert au public, car il abrite aujourd'hui un phare. Les visiteurs doivent se contenter de la belle vue qui se dessine depuis les remparts.

Situé au milieu de magnifiques **cours-jardins**, le musée expose en outre de superbes **mosaïques**. Les visiteurs sont accueillis dans la première salle par une tête de Méduse , provenant de thermes romains du IIIe siècle.

Les souks et les hammams *

Les allées animées des souks parcourent le cœur de la médina. Ce vaste quartier est un dédale de marchés partiellement couverts, où se vendent toutes sortes d'objets. La principale rue court d'est en ouest depuis **Bab-el-Gharbi**. Si les rues les plus fréquentées regorgent de souvenirs touristiques, il suffit d'emprunter un chemin de traverse pour découvrir un autre aspect du souk, où sont proposés d'intéressants objets d'artisanat local. Pour observer cette fourmilière, il suffit de s'attabler à l'un des nombreux minuscules cafés du souk.

La médina compte quelques hammams (bains de vapeur) intéressants, notamment le **Grand Bain maure Sidi-Bouraoui** situé derrière la mosquée d'Abdel Khader sur la rue El-Aghalba. Ouvert aux hommes de 4 h à 15 h et aux femmes de 15 h à 24 h.

Le marchandage

Faire des achats dans les **souks** d'Afrique du Nord peut être amusant et vous n'aurez que l'embarras du choix. Si vous êtes fixé sur un objet déterminé, vous pourrez faire tomber les prix en marchandant un peu mais sachez être patient. Si vous achetez un tapis par exemple, il est d'usage de s'asseoir avec le vendeur autour d'une tasse de thé pour débattre du prix. Ne vous sentez pas obligé de payer plus qu'il ne vous paraît nécessaire – vous avez toujours la possibilité de comparer. Proposez un prix inférieur à celui que vous êtes disposé à payer et attendez la réponse. Le commerçant vous proposera alors probablement un prix légèrement plus bas que le prix demandé au départ. Si l'achat est conséquent, vous devriez pouvoir obtenir un rabais d'un quart par rapport au prix exigé.

Ci-dessus : *la marina de Port-el-Kantaoui fut l'un des plus vastes projets touristiques de ces dernières années.*
Ci-contre : *les anciens remparts témoignent de la riche histoire de la ville.*

Les catacombes *

À la périphérie de Sousse, à quelque 2 km à l'ouest du centre, se trouvent des **catacombes datant du début de l'ère chrétienne**, dont certaines ont été restaurées et sont ouvertes aux visiteurs. Elles s'étendent sur plusieurs kilomètres à travers des galeries dans lesquelles des niches ont été creusées pour accueillir les défunts. Quelque 15 000 tombes ont été dénombrées. Seule une infime partie de ce réseau de galeries est aujourd'hui ouvert, et pour y accéder vous devrez vous adresser au musée (munissez-vous d'une bonne lampe). Dans la même zone se tient le **marché du dimanche** qui attire les chalands à des kilomètres à la ronde. Bien que l'on n'y vende plus de chameaux, le marché mérite le détour.

La rose des sables

La rose des sables n'est pas une plante mais une pierre du désert. Souvent vendues dans les souks tunisiens, ces **formations cristallines** peuvent être de grande taille.. De couleur beige, elles prennent la forme de « pétales » de cristal, d'où leur nom. Si vous souhaitez en acheter une, veiller à la conserver bien au sec.

Sports et loisirs **

Outre ses monuments historiques, Sousse est réputée pour ses plages et ses activités sportives. Les plages de sable blanc se trouvent à l'extrémité nord de l'avenue Habib-Bourguiba, près de la ville. La plupart sont enserrées par des hôtels et des résidences, et peuvent être fréquentées en haute saison. Tous les hôtels proposent un large choix de **sports nautiques**.

Port-el-Kantaoui ⋆

Port-el-Kantaoui, nouvelle station balnéaire située à 9 km au nord de Sousse, a été bâtie à partir de rien dans le but d'aménager une **vaste marina**, un terrain de golf et un complexe hôtelier. Bien que l'objectif initial fût de respecter le style traditionnel, le projet a donné naissance à une ville nouvelle, toute blanche, faite sur mesure et offrant toutes sortes de prestations. Depuis le port, il est possible de faire une **sortie de pêche** d'une journée ou d'améliorer son swing sur le parcours de **golf** de 18 trous. Des cours de **plongée sous-marine** sont également proposés.

La plongée sous-marine

C'est vers **Tabarka** et le long de la côte septentrionale du **cap Bon** que les possibilités de plongée sont les plus intéressantes. On peut y observer de nombreuses espèces, notamment le **mérou** qui, devenu quelque peu apprivoisé, se laisse approcher.

La réglementation et la sécurité sont du ressort de la Fédération tunisienne des activités subaquatiques, membre de la Confédération mondiale des activités subaquatiques. Chaque année, en septembre, l'association organise à Tabarka une manifestation photographique intitulée Festival international de la mer et de l'image subaquatique.

Monastir

La ville de Monastir se trouve à 22 km au sud de Sousse, le long d'une partie du littoral tunisien ponctuée de nombreuses villes et de villages ; cette urbanisation remonte à l'époque punique et romaine. La ville a l'avantage de constituer un bon point de départ pour sillonner en peu de temps les nombreux sites qui jalonnent les environs.

Monastir et Skanes ne forment quasiment plus qu'une seule et même ville et se partagent l'**aéroport**, situé à 7 km au sud du centre-ville. C'est l'aéroport le plus fréquenté par les vacanciers européens, avec des vols charter directs 24 h sur 24.

Malgré son image de ville vouée au tourisme de masse, Monastir est en fait une **ville universitaire** qui peut se prévaloir d'une longue et respectable histoire. Située sur une péninsule rocheuse à l'extrémité sud du golfe d'Hammamet, la ville abrite une petite **médina** et un impressionnant **ribat** que l'on a pu voir dans plusieurs films, notamment *La Vie de Brian* des Monty Python.

Ci-dessus : *au cœur de Monastir se dresse le sobre mausolée Bourguiba.*

Monastir dans l'histoire

L'antique port de commerce phénicien **Rous-Penna**, qui par déformation se transforma en **Ruspina** sous les Romains, devint le siège de Jules César en Afrique du Nord durant la guerre civile romaine. Une triple enceinte le protégeait. L'importance stratégique du port perdura sous les Arabes qui y construisirent un ribat. La ville porte aujourd'hui un nom issu du terme grec *monasterion* qui désigne ce type de monastère fortifié.

C'est de Monastir que furent lancées les attaques contre la Sicile chrétienne. La ville devint même, à une époque, le lieu saint par excellence de la Tunisie. Sous l'autorité turque, elle conserva son importance défensive et les beys en firent une **forteresse** imprenable. Ce n'est que durant le protectorat français que la ville se transforma en paisible **village de pêcheurs** jusqu'à l'essor du tourisme.

Comme le rappellent de nombreux monuments, Monastir peut se targuer d'être la ville natale du président Habib Bourguiba. Une statue de bronze du grand homme au temps de sa jeunesse a été dressée sur la place du

LES DESSERTS

Les desserts et pâtisseries tunisiens se dégustent généralement avec du thé ou du café plutôt qu'en fin de repas. Ils sont souvent extrêmement sucrés, comme en Turquie. Parmi les principaux ingrédients, citons les fruits à coque, le miel, le sirop, une pâte feuilletée ou sablée, la pâte de figues ou de dattes. Le plus apprécié parmi les différentes combinaisons et formes de gâteaux existants est le **kab-al-gazal** (corne de gazelle), fourré aux amandes.

Les *loukoums* ou **délices turcs**, une pâte sucrée parfumée à l'eau de rose et enrobée de sucre en poudre, figurent au nombre des autres douceurs héritées de la Turquie. Il en existe plusieurs variétés, parfumées aux noix ou à la menthe par exemple.

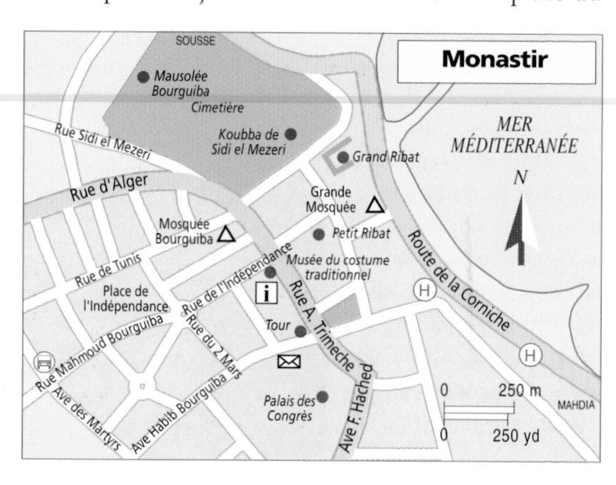

Gouvernorat, la plus importante de la ville. C'est vers cette place illuminée qu'il faut se diriger le soir venu. L'accession de Bourguiba à la présidence a largement contribué au développement de la ville. Le **mausolée Bourguiba**, édifié dans les années 1970 et coiffé d'un double dôme, est sans conteste l'un des monuments les plus étonnants de la ville.

Le ribat **

Le ribat porte le nom de son architecte, Arthema ibn Ayoun, qui acheva l'édifice en 796 apr. J.-C. Au fil des siècles, il a toutefois fait l'objet de maints remaniements et adjonctions. La **vue** depuis les remparts est superbe (et plus encore depuis le *nador* ou tour de guet). Il ressemble au ribat de Sousse dont on peut voir la tour par temps clair. L'ancienne salle des prières, à l'étage, abrite aujourd'hui un **musée islamique** qui présente une intéressante collection de pièces et de manuscrits coraniques ainsi que de fascinants objets domestiques, comme d'anciennes pièces de tissu et de bijouterie. Près de l'office de tourisme se tient une autre exposition permanente, le **musée du costume traditionnel**, qui possède une belle palette de vêtements traditionnels et de costumes de mariage originaires de tout le pays.

La Grande Mosquée *

Parmi les autres monuments qui méritent d'être visités figure la Grande Mosquée, au sud du ribat, fondée au IXe siècle et agrandie par les Zirides deux siècles plus tard. L'**ancien cimetière** qui s'étend à côté du ribat est également intéressant à voir. On y découvrira de vieilles tombes de marabouts ornées de carreaux de faïence émaillée et de textes rédigés en coufique.

Les stations balnéaires *

Les **plages** et hôtels de villégiature se trouvent au nord de la ville, enveloppant la ville toute proche de **Skanes** (à 2 km) et de **Dhikla**, située juste après. On peut s'y adonner à toutes sortes d'activités sportives, et y faire notamment des balades à cheval ou à chameau sur la plage.

La rose de Jéricho

S'il vous arrivait d'apercevoir une sorte de boule d'amarante roulant à toute vitesse dans le désert, sachez que vous êtes en fait en présence d'une plante au cycle de vie étrange. La rose de Jéricho est également baptisée **plante de la résurrection**. Cette petite herbe de 15 cm de hauteur à petites fleurs blanches perd ses feuilles après la floraison, et ses branches « mortes » se replient sur elles-mêmes, formant une boule. Arrachée au sol par le vent, elle roule et tourbillonne à travers le désert. Lorsqu'elle se trouve repoussée dans l'eau, ses branches s'étirent de nouveau et des graines sont libérées. Le cycle peut ainsi recommencer. La rose de Jéricho, *Anastatica hierochuntica* en latin, est parente du **chou**.

Ci-dessous : *vente de fruits et légumes frais dans les rues de Monastir.*

LE BIR BAROUTA DE KAIROUAN

Le **puits à eau bénite** de Kairouan se trouve dans une construction ornée de carreaux de faïence verts à porte bleue située dans le centre-ville. À l'étage, un chameau aux yeux bandés tourne autour du puits pour actionner un mécanisme qui fait remonter l'eau. C'est dans une pièce aménagée à cet effet que vous pourrez boire l'eau bénite recueillie dans des jarres en terre cuite. Selon la légende, le puits communiquerait par un réseau aquifère avec la source de Zemzem de La Mecque. La construction entourant le puits dont l'eau alimentait jadis les foyers de Kairouan par des canalisations date du XVIIe siècle.

LE SUD DE MONASTIR

Deux villages intéressants se trouvent au sud de Monastir, sur la route de Mahdia.

Ksar-Hellal *

Dernière ville de Tunisie où la soie est encore tissée, Ksar-Hellal est réputée pour son industrie **textile**. Les tisseurs utilisent toujours des métiers à main pour confectionner des étoffes chatoyantes et originales.

Moknine *

Le village de Moknine, célèbre pour son **orfèvrerie** n'est qu'à 3 km. La population juive du village y fabriquait autrefois des bijoux de manière traditionnelle. Le **musée d'Art et des Traditions locales** présente des objets domestiques, costumes de mariage et pièces d'artisanat berbère.

Essayez si vous le pouvez de vous rendre le vendredi au pittoresque **marché aux chameaux** du village de Jemmel, ou le jeudi au **marché aux tapis** de Ksibet-el-Mediouni.

MAHDIA

Située sur le promontoire du cap Afrique, une étroite bande rocheuse de 500 m de large seulement, la charmante ville de Mahdia est un important **port de pêche** en activité qui n'a pas été dénaturé par les nombreuses conserveries qui y ont fleuri en raison de la présence d'oliveraies (production d'huile) et de sel de mer. La **médina** est très pittoresque et une jolie **plage** de sable s'étire au nord de la ville.

Ci-contre : *de toutes les villes tunisiennes, Mahdia est la mieux préservée et a su échapper au tourisme de masse.*

Page ci-contre : *la production d'huile d'olive est particulièrement développée à Mahdia. L'huile est filtrée à travers des tapis tissés, qui sont roulés lorsqu'ils sont prêts à l'emploi.*

Mahdia était la ville préférée des **Fatimides** (en raison probablement de son port et de sa situation stratégique) qui en firent leur capitale au Xe siècle. L'essentiel de la Mahdia historique a été édifié entre 916 et 921 pour abriter la famille du calife. Un mur imposant de 11 m d'épaisseur, doté de quatre bastions et d'une unique porte d'entrée, a été construit au travers de l'isthme, créant une forteresse imprenable. C'est d'ici que les Fatimides se lancèrent à la conquête de l'Égypte et s'emparèrent du califat. Leur entreprise ayant abouti, ils transférèrent leur capitale au Caire, laissant Mahdia sombrer dans l'oubli.

L'accès à la vieille ville se fait par la **Skifa-el-Kahla**, une énorme porte du sommet de laquelle on a vue sur la ville, puis par une galerie de 50 m. La médina renferme la Grande Mosquée, reconstitution du XXe siècle de la mosquée édifiée au Xe siècle dans un style fatimide typique.

En poursuivant le long de la péninsule, vous rencontrerez le **bordj-el-Kebir**, une forteresse turque de 1595. Du sommet de la courtine, vous jouirez d'un très beau panorama sur les environs. À proximité sont éparpillés des **tombeaux puniques creusés dans la roche** et, plus bas, se trouve le vieux port où l'épave d'un **navire romain** a été découverte au début du siècle. Le bateau était chargé d'admirables objets d'art aujourd'hui exposés au musée du Bardo.

Le Patient anglais

Les étonnantes scènes d'extérieur du film *Le Patient anglais*, avec Ralph Fiennes et Kristin Scott-Thomas, ont toutes été tournées en Tunisie. Les zones désertiques près de **Tamerza** ont figuré le désert de l'ouest égyptien, et la ville de **Mahdia** a servi de cadre à la Benghazi des années 1930. Assiégée au cours de la Seconde Guerre mondiale, et ayant subi d'importants dommages et perdu une grande partie de son charme d'antan, Benghazi (Libye) ne convenait pas au tournage du film. Le film a eu un tel succès que nombre de personnes viennent en Tunisie uniquement pour se rendre sur les lieux de tournage.

El-Jem

Rien n'est plus étonnant que la vision d'El-Jem lorsqu'on approche de la ville. Se détachant à l'horizon, s'élève en effet le quatrième **amphithéâtre romain** (des trois autres, seuls subsistent le Colysée de Rome et l'amphithéâtre de Pouzzoles). Lors de sa construction en 230 apr. J.-C., il pouvait aisément accueillir 30 000 spectateurs venus de toute la région pour assister au combat des gladiateurs contre des animaux sauvages, ou voir un martyr chrétien jeté dans l'arène pour être dévoré par les fauves. Ce spectacle impressionnant avait une fonction didactique : faire comprendre à la population des environs la toute-puissance de Rome. L'amphithéâtre est ouvert de l'aube au crépuscule.

Le festival d'El-Jem

Un grand **festival de musique** international est organisé chaque année, du 23 juillet au 22 août, dans l'**amphithéâtre romain**, qui constitue un cadre idéal pour les concerts de musique classique qui y sont donnés. Ces concerts attirent des milliers de visiteurs à El-Jem. Lorsque la musique s'élève, il est aisé d'imaginer l'arène renvoyant en écho le rugissement des bêtes fauves et le cri de leurs malheureuses victimes.

Kairouan

Plus ancienne cité arabe de Tunisie et quatrième ville sainte de l'islam (après La Mecque, Médine et Jérusalem), Kairouan a été fondé en 670 apr. J.-C. par **Oqba ibn Nafi**. Foyer de la nouvelle croyance islamique, la ville devint sous les Aghlabides un centre d'études religieuses et scolaires.

Nombre de touristes y viennent en pèlerinage. Ne dit-on pas que sept visites à Kairouan équivalent à un pèlerinage à La Mecque. L'emplacement de la ville a été choisi pour des raisons spécifiques : son éloignement des côtes occupées par les Byzantins, des collines plus au sud peuplées de tribus berbères, et sa situation avantageuse sur la route du commerce transsaharienne. La ville est de fait beaucoup plus orientale que ses voisines de la côte.

Nombreux sont les musulmans et non-musulmans qui viennent visiter la Grande Mosquée. Malgré cette affluence, Kairouan a su conservé son authenticité. Cette petite ville plutôt animée et gaie abrite une très intéressante **médina**.

Même si l'architecture islamique ne vous passionne pas particulièrement, la **Grande Mosquée** et sa vaste cour demeurent incontournables, ne serait-ce que pour son gigantisme. L'espace ouvert est délimité par des colonnes romaines et byzantines provenant à l'origine d'anciens édifices de Carthage et de Sousse, soutenant des arcs en fer à cheval islamiques. La salle de prière sacrée n'est pas ouverte aux non-musulmans, mais cette pièce fraîche, ornée de carreaux de faïence verts, est visible depuis la porte d'entrée. Cette mosquée fut probablement la première édifiée sur le sol africain, bien que l'édifice actuel date du IXe siècle.

Restauré en 1969, le bassin millénaire des **Aghlabides**, situé à la périphérie de Kairouan, alimentait jadis la ville en eau.

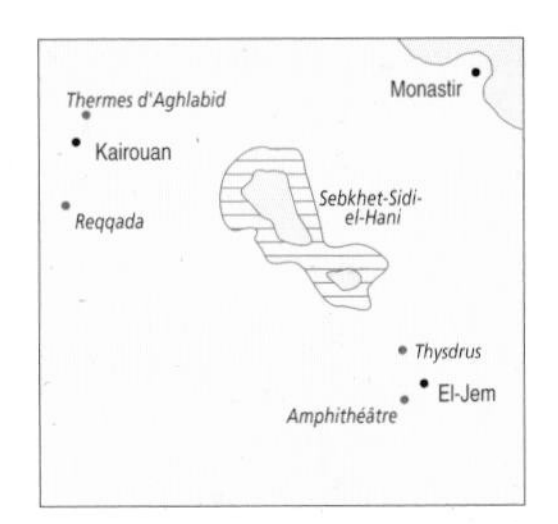

Ci-contre : *on vient à Kairouan pour découvrir sa Grande Mosquée. Si la salle de prière est fermée aux non-musulmans, sa splendide cour est ouverte au public.*

Ci-dessous : *Kairouan est depuis longtemps un centre de négoce de tapis et de kilims, offerts, comme ici, à la vente.*

Sbeïtla

On sait peut de chose de l'antique Sufetula, aujourd'hui Sbeïtla. Cette petite **ville-marché** est située à 117 km au sud-ouest de Kairouan. Bien qu'une partie seulement de la cité romaine ait été mise au jour, elle rivalise aisément avec Bulla-Regia et Dougga. Compte tenu de sa situation, les touristes y viennent moins nombreux, mais le site est de toute beauté par temps clair.

Fondée vraisemblablement au Ier siècle apr. J.-C., la cité est ensuite devenue une *colonia*. Au IIIe siècle, avec la chrétienté fleurirent les **églises**, dont quelques-unes ont été découvertes. En 646 apr. J.-C., la ville connut une gloire éphémère lorsque le gouverneur byzantin Grégoire s'y autoproclama empereur, s'opposant ainsi à Constantin II, et transféra sa résidence de Carthage à Sbeïtla. Malheureusement pour lui, il fut tué l'année suivante par les Arabes, et la route de Sbeïtla fut abandonnée.

Le site abrite plusieurs monuments remarquables. Il est difficile d'ignorer l'**arc de triomphe**, édifié au IIIe siècle, à l'extrémité du site. Entrant sur le site, vous longerez d'abord deux forts byzantins avant de passer devant le **forum** bien conservé, délimité par un alignement de trois temples, dédiés à Jupiter, Junon et Minerve.

Agriculture

Les **10 principales cultures** de la Tunisie :

1. Tomates
2. Melons
3. Betteraves à sucre
4. Pommes de terre
5. Poivrons
6. Dattes
7. Raisin
8. Amandes
9. Haricots
10. Pois

Plus avant se dressent deux basiliques ; l'une possède trois nefs et l'autre, plus grande (qui fut probablement la cathédrale de la ville), en comporte cinq. À proximité se trouve un petit, mais intéressant **baptistère** en excellent état de conservation et magnifiquement décoré. Le petit musée face à l'entrée ne présente guère d'intérêt.

Ci-dessus : *loin de la côte, la vie rurale s'écoule paisiblement depuis plusieurs siècles.*
Ci-contre : *cet impressionnant temple romain, qui se dresse dans le forum à Sbeïtla, a été magnifiquement restauré.*

Makthar

Situé dans un cadre superbe, l'antique Mactaris, aujourd'hui Makthar, mérite une visite, ne serait-ce que pour le paysage environnant. La ville est en effet perchée sur un plateau, à 114 km au nord-ouest de Kairouan dans le grand Tell, une région productrice de blé et d'olives. La ville s'anime le lundi, jour de marché, et possède, autre attrait, de charmantes **ruines romaines** à côté de la ville moderne.

Mactaris était à l'origine une colonie numide fondée au IIe siècle av. J.-C. Après la chute de Carthage, elle devint un refuge, échappant au contrôle de la province romaine. Intégrée par la suite à l'Africa Nova, elle permit l'extension de l'Empire romain vers l'arrière-pays tunisien. Détruite par les Arabes, la ville tombe dans l'oubli jusqu'à ce que les Français la transforme en ville-marché en 1887. C'est alors que les vestiges ont été mis au jour.

Le site abrite un bel **arc de triomphe** consacré à Trajan et d'imposants **thermes**, exceptionnellement bien conservés. Il ne faut surtout pas manquer l'élégante *schola*, sorte de club-house pour jeunes gens, située dans un cadre magnifique. Le site comporte également un petit musée intéressant, ouvert t.l.j. de 9 h à 12 h et de 14 h 30 à 18 h 30.

Le phosphate

La Tunisie est le sixième pays producteur de phosphate, lequel constitue une part prépondérante de ses **exportations**. Le phosphate est important pour le métabolisme de l'homme comme de l'animal, et on en donne souvent au bétail comme complément alimentaire. Il est également abondamment utilisé dans l'industrie. Principal composant des **engrais**, il entre également dans la composition des **détergents** et **adoucisseurs** d'eau.

Les principales zones d'extraction de phosphate sont situées à l'ouest du pays, vers la frontière algérienne. La Tunisie produit plus de 6 000 000 de tonnes de phosphate par an.

Le centre de la Tunisie en un coup d'œil

Quand partir ?

Le centre de la Tunisie est la plaque-tournante du tourisme, et les principales stations de villégiature sont parfois très fréquentées en juillet et août. Pour être plus au calme, mieux vaut visiter la région en **mai** et **juin**, ou de **septembre** à **mi-octobre**.

Comment s'y rendre ?

Nombre de visiteurs arrivent directement à l'**aéroport** de Monastir-Skanes, évitant ainsi la capitale. Si vous venez de Tunis, les dessertes de Sousse et Monastir en **bus** et en **train** sont fréquentes. Huit trains environ relient chaque jour Sousse en 2 h 15 (pour Monastir, vous pouvez avoir un changement) et le voyage est confortable. Le même trajet dure 2 h 30 en autocar pour un même tarif.

Moyens de transport

Sousse compte plusieurs **gares routières** d'où partent des autocars pour Kairouan, Sfax et d'autres destinations dans la région. Une navette en bus dessert fréquemment Port- el-Kantaoui. Depuis Monastir des autocars relient régulièrement Sousse, Mahdia et d'autres villes de la région.

Hébergement

Sousse

Vous avez le choix entre les hôtels plus chers qui s'étirent le long de l'arc des plages ou ceux de la chaleureuse médina.

Hôtel Medina, Rue de Paris, tél. (03) 221722, fax 221794. Le meilleur hôtel de la médina, à proximité de la Grande Mosquée.

Hôtel Amira, 52 Rue de la France, tél. et fax (03) 226325. Hôtel bas de gamme, mais offrant de belles vues depuis la terrasse située sur le toit.

Orient Palace, près du bd du 7 Novembre, tél. (03) 242888, fax 243345. Hôtel 5 étoiles en bord de plage.

Hôtel Hadrumete, Place Assed-Ibn-el-Fourad, tél. (03) 26291. Petit hôtel indépendant avec piscine extérieure et chauffage (rare) en hiver.

Hôtel Claridges, Avenue Habib-Bourguiba, tél. (03) 24759. Prix modéré. Hôtel confortable mais un peu bruyant. Bar animé le soir.

Hôtel de Paris, 15 Rue de Rampart, tél. (03) 20564. Hôtel à petit prix dans la vieille ville, avec une vaste terrasse sur le toit qui compense le manque de luxe.

Hôtel Ahla, tél. (03) 20570. Hôtel économique très bien situé, juste en face du *ribat* et de la Grande Mosquée.

Monastir

Amir Palace, Route de la Mer, tél. (03) 467900, fax 463823. Grand hôtel haut de gamme.

Monastir Beach Hôtel, Route de la mer, tél. (03) 464766. Dernier hôtel du bord de mer, situé sous la corniche. Toutes les chambres donnent sur la plage.

Hôtel Yasmin, Route de la Falaise, tél. (03) 62511. Ce petit hôtel chaleureux, situé sur la route de la plage, possède en outre un excellent restaurant, et certaines chambres ont vue sur la mer.

Club Méditerranée, Route de la plage Monastir-Skanes, tél. (03) 31563. Village de vacances appartenant à la chaîne internationale.

Mahdia

Hôtel Cap Mahdia, Route de la Corniche, tél. (03) 681725, fax 680405. Appartient au très chic groupe Abou Nawas. Juste à côté de la marina, offre tout le confort attendu.

Sables d'Or, Route de la Corniche, tél. (03) 681137, fax 681431. Hôtel de bord de mer offrant des bungalows entourés de palmiers.

Hôtel Jazira, Avenue Ibn-Fourhat, tél. (03) 81629. Hôtel modeste près de la plage. Guère luxueux mais bien situé et possède quelques chambres donnant sur la mer.

Hôtel Er-Rand, 22 Avenue Taieb-M'hiri, tél. (03) 80039. Hôtel économique et modeste. Possède un bon restaurant situé juste à côté.

Le centre de la Tunisie en un coup d'œil

Kairouan

Hôtel Splendid, Avenue du 9-Avril-1939, tél. (07) 20522. Hôtel traditionnel, agréable, possédant de vastes chambres et un restaurant avec licence.

Hôtel Tunisia, Avenue de la République, tél. (07) 21855. Chambres vastes et propres avec salle de bains.

Hôtel Marhala, Rue El-Belaghijia, tél. (07) 20736. Ancien hôtel au cœur de la médina avec terrasse sur le toit. Ne convient pas aux craintifs mais interpellera les audacieux.

Les Aghlabites, Rue de Fès, tél. (07) 20855. Marché le plus haut de gamme de Kairouan, généralement bondé de groupes.

Restaurants

Sousse

Le Lido, Avenue Mohammed-V, pas de téléphone. Restaurant de poisson. Prix raisonnables.

Restaurant Tunisienne, 4 Rue Ali-Benhalouane, pas de téléphone. Assez rare en Tunisie : restaurant indien servant de très bons currys.

The Hong Kong, Bd de Rabat, pas de téléphone. Restaurant chinois à prix modérés pour changer d'ambiance.

Monastir

Le Rampart, Avenue Habib-Bourguiba, pas de téléphone. Cuisine locale à prix raisonnable.

La Rosa, Cap Marina, pas de téléphone. Restaurant haut de gamme proposant de la cuisine locale et internationale.

Mahdia

Restaurant El-Moez, près de Skifa-al-Kahla, pas de téléphone. Goûtez aux spécialités locales dans ce petit restaurant chaleureux.

Restaurant de la Medina, près de Skifa-al-Kahla, pas de téléphone. Délicieux plats tunisiens à base de poisson.

Restaurant de Lido, en face du port, avenue Ferhat-Hached, pas de téléphone. Spécialités de poisson.

Kairouan

Restaurant de la Jeunesse, Rue Medina. Dans la médina, propose des couscous rivalisant avec les meilleurs.

Roi de Cous Cous, Rue Medina, tél. (07) 21237. Pour une soirée authentique, restaurant où l'on prend place sur des divans comme le veut la tradition.

Visites et Excursions

De nombreuses excursions intéressantes sont possibles depuis Monastir et Sousse. La visite de Kairouan est incontournable pour s'imprégner de l'atmosphère régnant dans la quatrième ville sainte du monde islamique. Des visites de Tunis, de Carthage, et plus au sud de Matmata sont également possibles.

Adresses utiles

Sousse

Office de tourisme, Place Ferhat-Hached, tél. (03) 220431.

Police, Rue Pasteur, tél. (03) 225566.

Gare routière, Place Bab-Djedid, tél. (03) 221910.

Gare ferroviaire, Bd Hassouna-Ayachi, tél. (03) 225321.

Monastir

Office de tourisme, Avenue Habib-Bourguiba, tél. (03) 461205.

Police, Rue de Libye, tél. (03) 461432.

Gare routière, près de Bab-al-Gharbi, tél. (03) 461059.

Gare ferroviaire, Rue Salem-Bachir, tél. (03) 460725.

Mahdia

Office de tourisme, Rue Al-Moez, tél. (03) 681098.

Gare routière, Place du 1er-Mai, tél. (03) 680372.

Gare ferroviaire, Avenue Ferhat-Hached, tél. (03) 680177.

KAIROUAN	J	F	M	A	M	J	J	A	S	O	N	D
Temp. moyennes °C	16	18	21	23	26	28	32	33	31	27	22	17
Heures de soleil/j.	10	11	12	13	14	14	14	13	12	11	10	9
Précipitations mm	23	18	20	10	1	0	0	3	13	31	31	15
Jours de pluie	4	3	4	3	2	2	0	0	4	4	4	4

6
Le golfe de Gabès

La région du golfe de Gabès, qui épouse la forme d'un croissant orienté à l'ouest, s'étend de Sfax à l'île de Djerba. Tout au long du golfe, des plages de sable, baignées tout l'après-midi par le soleil, plongent dans une mer peu profonde. Cette région n'est pas aussi touristique que d'autres zones côtières.

La plupart des visiteurs privilégient la très prisée île de **Djerba** ou les **îles Kerkennah** pour leur calme et leur tranquillité. Sur le continent, les villes de **Sfax** et de **Gabès** permettent au visiteur intrépide d'aborder une autre facette de la Tunisie, loin des hordes de touristes.

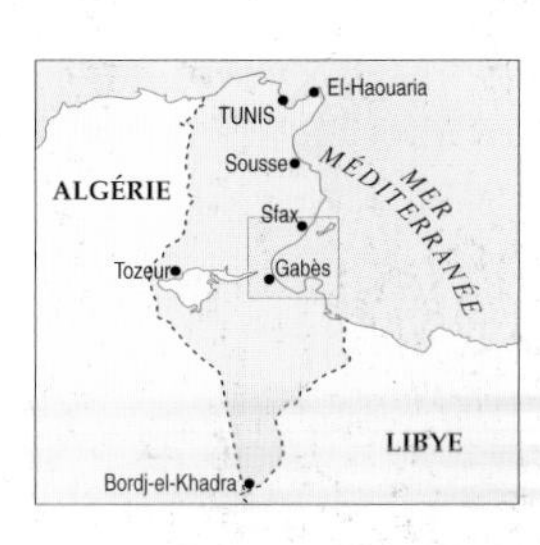

À NE PAS MANQUER

*** **Les îles Kerkennah** offrent calme et tranquillité dans un cadre authentique.
** **La palmeraie de Gabès :** des kilomètres de palmiers-dattiers.
** **Les plages de Djerba :** des kilomètres de plage.
** **Shopping à Houmt-Souk :** pour dénicher de bonnes affaires.
* **La médina de Sfax :** une vieille ville préservé du tourisme.

Sfax

Deuxième métropole tunisienne, l'avenante Sfax est également un important **port industriel**. C'est d'ici que les minerais du pays, comme les phosphates extraits dans l'Ouest, sont expédiés par bateau. La ville se trouve en outre au cœur d'une région de culture d'oliviers, et exporte également de l'huile. À l'exclusion du transport de visiteurs vers les îles Kerkennah voisines, Sfax s'est tenue à l'écart de l'essor touristique du fait de sa solide base industrielle, et de l'absence d'une véritable plage. La ville garde ainsi une atmosphère typiquement tunisienne et, pour goûter à l'authenticité du pays, rien ne vaut une immersion dans la belle **médina**. Considérablement endommagé durant la Seconde Guerre mondiale, le centre-ville, bien que ponctué d'élégantes rues bordées d'arbres et de places, a peu de curiosités architecturales à offrir au visiteur.

Ci-contre : *les îles Kerkennah, près de Sfax, sont un havre de paix et de tranquillité.*

LE CLIMAT DU GOLFE DE GABÈS

La vaste baie formée par le golfe de Gabès s'ouvre sur des eaux chaudes et peu profondes côté littoral et sur une zone aride, semi-désertique, côté intérieur. Les **étés** peuvent y être extrêmement chauds et la côte est baignée par le soleil dont les rayonnements sont réfléchis par une mer peu profonde.

Plus vous vous enfoncez vers le sud, plus le nombre de jours de chaleur est élevé. Les **hivers** sont généralement doux, mais la pluie n'est pas rare.

La médina *

Les remparts de la médina datent tous de périodes différentes, mais l'enceinte d'origine remonte au IXe siècle. Passé la porte **Bab-Diwan** côté sud, les visiteurs pourront avoir un aperçu de ce à quoi ressemblaient toutes les médinas tunisiennes avant que les vendeurs de souvenirs ne s'y installent. Les rues sont très étroites. Dans le centre, se trouve l'impressionnant **musée Dar Jellouli** dans un superbe palais du XVIIe siècle avec sa décoration d'époque en stuc et bois sculpté. Le musée présente des costumes ainsi que du mobilier et offre une superbe introduction à la calligraphie. Ouvert t.l.j. sauf le lun. de 9 h 30 à 16 h 30.

Au cœur de la médina, les **souks** de Sfax se distinguent agréablement de tous les autres voués au tourisme. Vous pourrez y dénicher des tissus, des épices, des parfums ou des bijoux et regarder à loisir sans être importuné. La médina est parsemée de nombreux petits cafés et restaurants, dont l'un des plus célèbres, le café Diwan, a été construit dans l'enceinte extérieure de la ville.

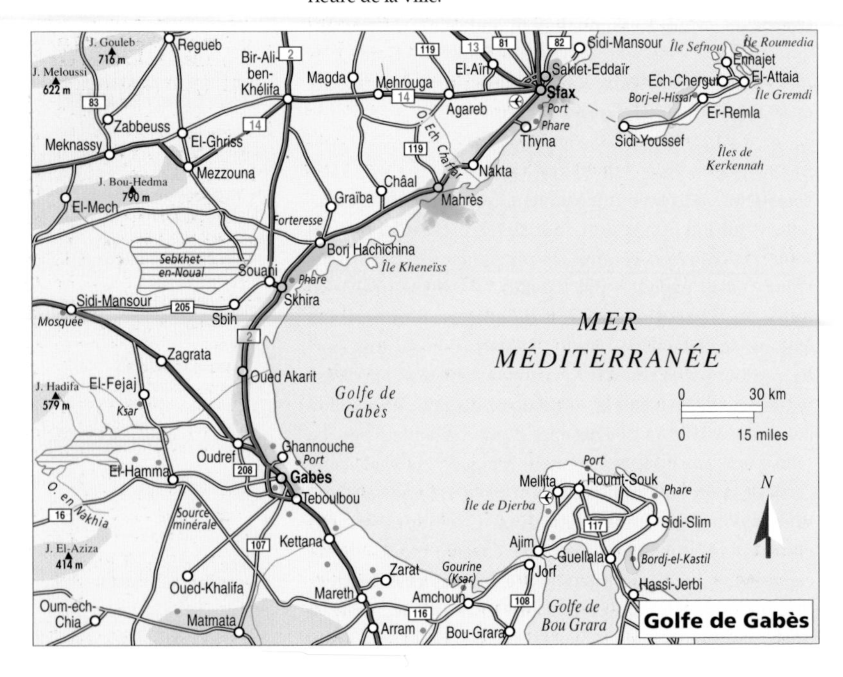

Les avenues et places de la nouvelle ville sont une invitation à flâner. Sur la place principale, se dresse l'hôtel de ville qui abrite un petit **musée des Antiquités**.

Les Îles Kerkennah

Sfax est le point de départ pour les îles Kerkennah et, en haute saison, jusque six bacs par jour relient les îles en une heure. Bien que situées à 25 km seulement au large, les îles jouissent d'un rythme de vie très différent de celui du continent. On peut s'y détendre quelques jours en toute tranquillité en occupant son temps avec un bon livre.

Les ferries accostent à Sidi-Yousseff, sur l'île principale de Gharbi, reliée à Chergui, l'autre grande île, par une chaussée maritime probablement d'origine romaine. Malgré leur relief peu marqué – l'archipel tout entier n'est qu'à quelques mètres au-dessus du niveau de la mer – les îles étaient connues des Grecs sous le nom de Kyrannis dès 500 av. J.-C. Après sa défaite à Zama en 202 av. J.-C. Hannibal s'y réfugia. Sous les Romains, les îles furent baptisées Cercina, à l'origine de leur nom actuel. L'infortuné Caius Semprinus Graccus y fut envoyé en exil puis exécuté pour avoir prétendument séduit la fille de l'empereur romain.

Ci-dessus : *des poteries creuses spécialement conçues pour la pêche au poulpe sèchent au soleil.*

Les îles aujourd'hui

Descendants de la population du continent qui y émigra aux XVIIe et XVIIIe siècles, les actuels habitants des îles ont pris part au mouvement pour l'indépendance. Le chef de file syndicaliste et militant politique **Ferhat Hached**, dont d'innombrables villes et places en Tunisie portent le nom, y est né.

La plupart des touristes se dirigent généralement vers les **plages** de la côte nord de Chergui et résident dans la station d'El-Attaia dotée de petits hôtels et de différentes infrastructures sportives. Les sports nautiques sont naturellement à l'honneur, mais vous pouvez également aller **pêcher avec les îliens** ou **monter à cheval** le long du rivage. Les sorties de pêche sont fascinantes : les pêcheurs

Les lévriers salukis

Ces élégants chiens de meute constituent la plus ancienne race de chiens de chasse.
Des archives font remonter à 3600 av. J.-C. l'existence des salukis, également appelés **lévriers persans**, originaires du **Moyen-Orient**, d'où ils se sont répandus à travers l'**Afrique du Nord**. En **Europe**, où ils ont été introduits au milieu du XIXe siècle, on les employait pour chasser le lièvre. Ce sont également des animaux de compagnie recherchés. Très séduisants et intelligents, ces chiens possèdent de longs poils soyeux qui leur couvrent les oreilles, de hautes pattes tendues et une queue recourbée vers l'intérieur. Les salukis peuvent avoir un pelage de différentes couleurs mais le plus courant est un **blanc doré** qui se fond parfaitement avec le milieu désertique où ils vivent.

Ci-contre : *bateaux colorés sur la longue plage de sable de Gabès, ville moderne par ailleurs.*

locaux recourent toujours à des méthodes traditionnelles et utilisent des nasses à poissons tressées. Les principales prises sont les poulpes, qui sont congelés à Sfax et exportés au Japon.

Le **bordj El-Hissar**, ancienne tour turque aujourd'hui en ruine, compte parmi les rares vestiges de Kerkennah. Les ruines du fortin romain qui l'entourent sont toutefois plus intéressantes. Bien que la mer ait englouti certains des édifices et que le site ait un aspect plutôt désolé, des mosaïques sont aujourd'hui encore visibles.

Le soufisme

Le soufisme est la branche mystique de l'islam. Pratiqué depuis le XIe siècle, son origine remonte à **Mahomet**.
Ce mouvement s'est répandu dans tout le monde musulman et compte des adeptes tant **sunnites** que **chiites**. Il a de nombreux points communs avec d'autres mouvements mystiques antérieurs à l'islam. Ses adeptes croient en l'existence, à chaque génération, d'un « homme parfait » dont l'esprit éclairé permet au monde de perdurer.
Le **chant**, la **méditation** et l'**illumination spirituelle** sont partie intégrante de la religion soufi. La **pauvreté** est considérée comme une vertu. Les soufis vénèrent leurs hommes saints et prient devant leurs tombes, pratique que récusent les musulmans orthodoxes pour qui il s'agit d'« idolâtrie ». Les soufis ressemblent à bien des égards aux derviches turcs mais ne tourbillonnent pas comme eux.

Gabès

Gabès signifie « porte du sud » en arabe. Connue durant l'Antiquité sous le nom de Syrtis Minor, la ville occupe, au milieu du golfe de Gabès, une position stratégique à l'intersection de la route du commerce saharienne et de la route côtière en direction du nord, qui lui a valu de bien vivre et même de prospérer au Moyen Âge.

Le principal attrait de la ville est sa vaste palmeraie comptant plus d'**un demi-million de palmiers-dattiers** et d'innombrables autres arbres fruitiers. Gabès possède en outre une très **longue plage de sable**. Le portrait ne saurait être complet si l'on ne mentionnait son industrie lourde qui gâte quelque peu l'image romantique de la ville, laquelle ne vit plus tant aujourd'hui de l'agriculture que des phosphates, du ciment et du raffinage du pétrole.

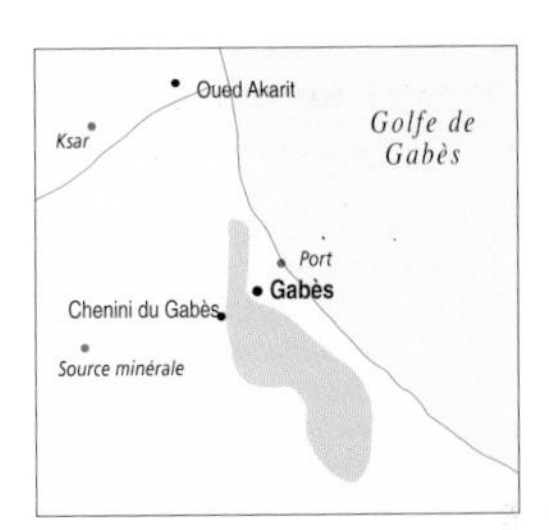

Les touristes sont aujourd'hui toujours aussi nombreux à visiter Gabès pour profiter de sa plage et faire une promenade en calèche à travers son oasis qui abrite un **zoo** et une **ferme aux crocodiles**. Il est également possible d'explorer l'oasis avec une bicyclette de location. Un circuit complet comportant des arrêts aux principaux points d'intérêt demande environ quatre heures.

La ville elle-même est plutôt moderne et guère attrayante. L'avenue Habib-Bourguiba est l'artère majeure de la ville et sa principale voie commerçante. Au nord de la ville s'étend le vieux quartier de la Petite Jara avec sa mosquée du XIe siècle.

Perchée au sud-ouest de la ville, la **mosquée de Sidi Boulbaba**, du nom du barbier du prophète Mahomet qui se retira à Gabès et y fut enterré, est le monument le plus notable de Gabès. La cour, ouverte aux visiteurs, est ornée de beaux carreaux de faïence émaillée et d'inscriptions coraniques. L'ancienne *medersa*, à côté, abrite un **musée des Arts et Traditions populaires**.

ULYSSE

Dénommé Odysseus en grec, Ulysse était le roi de l'île d'**Ithaque** et fut l'un des principaux combattants de l'armée grecque durant la **guerre de Troie**. Le grand classique d'Homère, *L'Odyssée*, conte son épopée, y compris son séjour à Djerba – « l'île des Lotophages », et son voyage de retour mouvementé, dix ans après la chute de Troie. Ulysse apparaît auparavant dans *L'Iliade* comme un guerrier courageux et rusé, qui ramène les héros **Néoptolème** et **Philoctète** à Troie pour l'ultime épisode de la guerre. On lui attribue également le stratagème du **cheval de Troie**, grâce auquel l'armée grecque put pénétrer dans l'île et détruire Troie.

Excursions depuis Gabès *

Les charmants villages de la palmeraie à la périphérie de Gabès méritent d'être visités. Le plus connu, Chenini, à 4 km seulement à l'ouest de la ville, est réputé pour ses travaux de vannerie. Les vestiges d'un réservoir romain sont visibles sur la route qui mène au village.

Ci-contre : *pour se détendre, rien de tel qu'une balade dans une calèche aux couleurs vives à travers les différentes oasis proches de Gabès.*

Les menzels de Djerba

Les *menzels* sont de petites **propriétés foncières** au centre desquelles s'élèvent les **maisons traditionnelles djerbiennes**, les *houchs*. La conception de ces propriétés n'a pas changé depuis des siècles et s'inspire peut-être des exploitations romaines fortifiées, appelées *limes*, courantes dans la partie méridionale de l'empire.

Vu de l'extérieur, le *houch* ressemble à une forteresse carrée, dépourvue d'ouvertures. Il abrite pourtant à l'intérieur une **cour** entourée sur trois de ses côtés de vastes pièces constituant chacune un appartement. Au-dessus de chaque section se trouve une chambre à coucher qui forme une **tour** en dôme. C'est la seule pièce dotée d'une fenêtre, où l'on peut donc bénéficier d'une aération naturelle.

Ci-dessous : *l'industrie de l'éponge de Djerba est très ancienne.*

L'Île de Djerba

Située à l'extrême sud du golfe de Gabès, Djerba est la plus grande des îles de la Tunisie, et même de l'Afrique du Nord. Destination très prisée des touristes européens, l'île arbore le long du **ruban de sable blanc** de son littoral septentrional un collier d'**hôtels de villégiature** ; tandis qu'à l'intérieur sont disséminées d'intéressantes villes, notamment la capitale Houmt-Souk. Le relief de l'île est peu accidenté ; elle est couverte de palmiers et d'oliviers ainsi que d'exploitations blanches surmontées d'un dôme et d'originales mosquées fortifiées. Jusqu'à l'époque glaciaire, elle était rattachée au continent, auquel elle est aujourd'hui reliée par une chaussée maritime de 6,5 km.

Djerba s'est fait un nom dans la mythologie grâce à **Homère** qui l'immortalisa dans l'**Odyssée** comme étant l'« île des Lotophages », le légendaire lotus aurait plongé celui qui le dégustait dans état second, lui faisant oublier jusqu'à la mère patrie. L'expression évoque aujourd'hui un lieu de plaisir illimité. **Ulysse** aurait fait escale sur l'île au cours de son périple : il est dit que les membres de son équipage tombèrent à ce point sous le charme du lieu qu'ils durent regagner le navire sous la contrainte et pleurèrent tout au long du voyage.

Selon des sources plus sûres, Djerba était autrefois la **Meninx** phénicienne, fondée au IXe siècle, dont le nom est probablement une déformation de murex, un crustacé utilisé pour obtenir la teinture pourpre, dont on a retrouvé de nombreuses coquilles. Les Romains construisirent par la suite quatre cités sur l'île qui devint un port et un centre commercial prospères. L'une de ces villes était **Girba**, qui a donné Djerba.

Bien que l'île accueille de nombreux touristes, il est aisé d'y dénicher un lieu désert, tant sur la côte ouest que dans l'arrière-pays rural, lequel se prête à une exploration à bicyclette.

Houmt-Souk **

Il émane d'Houmt-Souk, la capitale et seule véritable ville de Djerba, un charme certain, malgré son orientation manifestement commercial. Le vieux quartier recèle une myriade d'édifices historiques, pour certains d'anciens fondouks ou caravansérails transformés en modestes, mais séduisants hôtels. Ils sont tous bâtis sur deux étages avec une cour centrale. En effet, les pièces du bas étaient jadis réservées aux animaux et aux marchandises tandis que celles de l'étage abritaient les chambres des marchands. D'une manière ou d'une autre, la plupart des 6 500 habitants de la ville vivent du **tourisme**. Les autres pratiquent toujours la **pêche** selon des techniques traditionnelles.

Houmt-Souk est à visiter pour son **souk** naturellement, où vous pourrez faire l'acquisition de poteries locales colorées et bon marché, et de paniers tressés. Il ne faut pas manquer d'assister à la **criée au poisson** qui a lieu chaque jour. Les jours les plus intéressants pour explorer le souk sont le lundi et le jeudi, lorsque les gens viennent des environs pour y vendre leurs marchandises.

Ci-dessus : *mosquée de Djerba témoignant de l'architecture sans fioriture de l'île.*

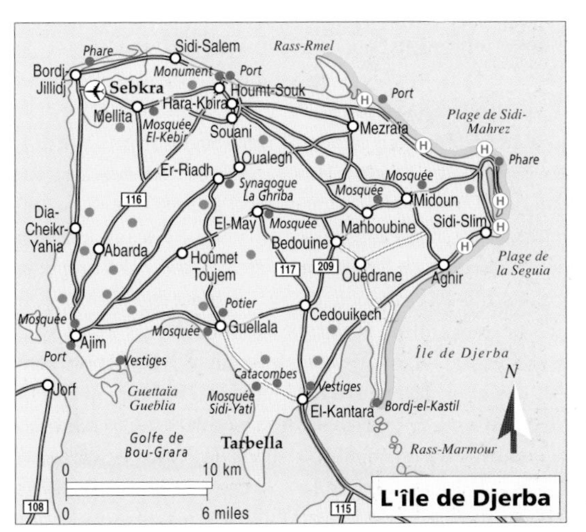

LA POTERIE DE DJERBA

Difficile d'ignorer la spécialité de l'île : assiettes, bols et pichets colorés jonchent la chaussée en **bordure des routes** et abondent dans nombre de boutiques du **souk**. Chacun pourra y trouver son bonheur : depuis les grosses pièces brillamment colorées jusqu'aux objets en terre cuite décorés de manière plus subtile dans des tons pastel. Les repercés, notamment les lanternes à bougie en terre cuite, à accrocher à un mur de jardin ou à placer sur une table, sont très décoratifs. Autant de beaux souvenirs bon marché à rapporter chez vous.

Ci-contre : *la synagogue La Ghriba fait l'objet d'un pèlerinage annuel : les traditions juives sont encore fortes au sein de la minuscule communauté d'Er-Riadh toute proche.*

Bordj-el-Kebir *

Au nord de la ville, à une courte distance à pied, le bordj-el-Kebir est une ancienne forteresse médiévale qui subit un siège éprouvant lors de la destruction de la flotte de Philippe d'Espagne par l'armada ottomane de Dragut. Les Espagnols trouvèrent refuge dans la tour avant d'être massacrés par les Turcs. Leurs crânes servirent à édifier une pyramide à l'intérieur de la tour. Leurs restes ne furent enterrés qu'en 1848.

Sur la route menant au bordj, se tient un « **marché libyen** » non officiel où sont vendus des biens de consommation provenant du pays voisin.

Er-Riadh/Hara-Seghira *

D'abord connu sous le nom d'**Hara-Seghira** (petit ghetto), **Er-Riadh**, situé à 8 km d'Houmt-Souk, est l'un des deux villages de Djerba à abriter une vaste et ancienne communauté juive. Les archives témoignent de la venue des juifs à Djerba après la chute de Jérusalem en 70 apr. J.-C. Les premiers colons juifs seraient toutefois arrivés beaucoup plus tôt : au VIe siècle av. J.-C. D'autres les ont rejoints après que l'Andalousie fut tombée entre les mains des Espagnols, et, à son âge d'or, la communauté juive de Djerba représentait dix pour cent de l'ensemble de la population. Ce chiffre est toutefois en déclin depuis la création de l'État d'Israël.

La célèbre **synagogue** La Ghriba, « **la Merveilleuse** », près d'Er-Riadh, est l'objet d'un pèlerinage annuel pour

Les juifs de Djerba

Djerba abrite une communauté juive active dont l'origine remonterait à la diaspora qui a suivi la prise de **Jérusalem** par **Nabuchodonosor** en 71 av. J.-C. Cette communauté est établie à Djerba depuis si longtemps qu'il est difficile de retracer sa véritable histoire. Elle compte aujourd'hui environ 1 500 fidèles et joue un rôle essentiel dans l'**économie** de l'île. Les juifs se sont spécialisés dans la **bijouterie** et plusieurs petites colonies juives ont fleuri dans sa partie méridionale. Près d'Er-Riadh s'élève l'une des **synagogues** les plus sacrées d'Afrique du Nord, lieu d'un **pèlerinage** qui se déroule chaque année les 22 et 23 mai. Conçu en 1920, l'édifice actuel est moderne mais le site aurait été fondé en 600 av. J.-C.

nombre de juifs d'Afrique du Nord, 33 jours après Pâques. Elle est ouverte t.l.j. sauf le sam. aux visiteurs portant une tenue correcte.

Midoun **

Située à 5 km à peine des stations de villégiature de la côte nord, Midoun est la principale ville-marché de l'intérieur de l'île. Sa visite est très prisée, notamment pour son marché qui se tient le vendredi. Tous les jeudis, en été, des **célébrations de mariage traditionnel** sont reconstituées pour les touristes. À cette occasion, il est possible d'assister à des danses, des exercices de **voltige à cheval**, et de voir des chameaux.

Le marché de Midoun

Cette ville paisible s'anime le vendredi, jour de marché. Il s'agit du **souk** le plus intéressant de Djerba, où l'on trouve toutes sortes d'articles tant **traditionnels** que **modernes**, économiques qu'onéreux, sans oublier tout un tas de camelote pour touristes. Même si votre intention n'est pas d'acheter, l'occasion vous est donnée de vous imprégner de l'**atmosphère** d'un souk djerbien. Fermiers et marchands, coiffés de leur chapeau de paille, attendent le client assis sous le soleil, débattant des prix avec les passants et acquéreurs potentiels. Un échantillon coloré de la société djerbienne se réunit ici, et il ne faut pas le manquer.

Guellala *

Au sud de Djerba, le petit village de Guellala, jadis baptisé Haribus, est demeuré depuis l'Antiquité un important centre de production de poterie. Plus de 400 **potiers** travailleraient ici, produisant nombre d'objets et plus particulièrement des amphores en terre cuite non vernissée. On extrait l'argile de profondes galeries, puis elle est mise à sécher et mélangée à de l'eau douce pour confectionner des poteries rouges, ou à de l'eau de mer pour des poteries blanches. Enfin, elle est mise à sécher pendant deux mois avant d'être cuite.

Ci-contre : *Djerba est réputée pour sa poterie colorée – pièces en terre cuite non décorées ou extrêmement ornées – la petite ville de Guellala est renommée pour la qualité de ses articles.*

Le golfe de Gabès en un coup d'œil

Quand partir ?

La meilleure période pour visiter Sfax et l'archipel des Kerkennah est par temps chaud et sec, d'**avril** à **octobre**. En basse saison, à l'exception de quelques jours plus frais, le temps est agréable et doux, même en hiver. Avec un climat méridional doux et sec, Djerba se visite toute l'année. Si vous comptez explorer le désert du Sahara ou les villes berbères du Sud, il vaut mieux éviter la chaleur intense du plein été et venir de préférence entre **septembre** et **mai**.

Comment s'y rendre ?

Située sur la **route aérienne** de Tunis, Sfax offre plusieurs liaisons quotidiennes. Depuis Djerba, comptez cinq vols par jour environ vers Tunis, plusieurs liaisons directes avec de nombreuses villes européennes et des vols charter en période de vacances.
Depuis Tunis, des **autocars** desservent Sfax et Djerba (en 6 h 15 pour Djerba).
Les habituelles liaisons en ***louage*** vous permettront autrement de rallier toutes les villes du golfe de Gabès, ainsi que Tunis.
À Sfax, il est également possible de prendre un billet de **train** pour Gabès au sud et pour Sousse et Monastir au nord.

Moyens de transport

Sfax
Les **bus** locaux permettent de circuler à l'intérieur de la ville et desservent les villages les plus éloignés. Ils partent du terminus situé à l'intersection de l'avenue des Martyrs et de l'avenue du 18-Janvier, au nord-est de la vieille ville. Autre solution : les **taxis collectifs** *(louages)* qui desservent toutes les destinations au départ des stations de taxi situées le long et autour de l'avenue Ali-Belhouane.

Gabès
La station de ***louage*** se trouve à côté de la gare **routière** à l'extrême ouest de l'avenue Ferhat-Hached. Pour louer un **vélo** afin de faire le tour de la palmeraie, adressez-vous au magasin de location près de l'hôtel de la Poste, vers le souk.

Djerba
Un réseau de **bus** local dessert les villes de l'île. Ils partent de la même gare routière que les autocars longue distance, à l'extrémité sud de l'avenue Habib-Bourguiba.
Il existe deux grandes stations de **taxi** à Houmt-Souk : une sur l'avenue Habib-Bourguiba et l'autre place Sidi-Ibrahim dans la vieille ville. Il est aisé de se faire emmener en taxi le long de la zone touristique de la côte nord. Vous pouvez, si vous le souhaitez, louer un taxi à la journée et faire tout le tour de l'île.
Vous pouvez également louer un **vélo** ou un **cyclomoteur** à un prix raisonnable auprès de la plupart des grands hôtels. Renseignez-vous autour de vous pour vous procurer des **vélos tout terrain** (les zones montagneuses sont toutefois rares).

Hébergement

Sfax
Sfax Centre, Avenue Habib-Bourguiba,tél. (04) 225700. Cet hôtel 5 étoiles s'adresse davantage à une clientèle d'hommes d'affaires.
Hôtel les Oliviers, Avenue Habib-Thameur, tél. (04) 225188, fax 223623. Établissement de caractère, de type colonial, charmant sans être luxueux, avec piscine.

Archipel des Kerkennah
Hôtel Farhat, île Chergui, tél. (04) 281236, fax 281237. Hôtel confortable avec piscine. Très fréquenté par les touristes britanniques, souvent complet.
Grand Hôtel, Sidi-Fradj, tél. (04) 281265, fax 281485. Possède une belle plage avec possibilité de sports nautiques et une boîte de nuit.

Gabès
Oasis Hôtel, Route de la plage, tél. (05) 270728, fax 271749. Dernier hôtel de la plage.
Hôtel Nejib, Avenue Farhat-Hached, tél. (05) 271686. Le meilleur établissement de la ville.
Chela Club, Route de la plage, tél. (05) 224442. Grand établissement de type bungalow entouré de palmiers le long de la plage. Est parfois assailli de groupes.

Djerba
Hasrubipal, Route de la plage, tél. (05) 657650. Nouvel hôtel 5 étoiles sur la côte nord.

Le golfe de Gabès en un coup d'œil

Ulysses Palace, Route de la plage, tél. (05) 657422, fax 657850. Chic et accueillant. Toutes les activités possibles.
Djerba Menzel, Route de la plage, tél. (05) 657070, fax 657124. Prestations haut de gamme et grand confort.
Erriadh Hôtel, 10 Rue Mohamed-Fergiani, tél. (05) 650756. Au cœur du vieil Houmt-Souk, le meilleur hôtel caravansérail.
Hôtel Marhala, Rue Moncef-Bey, tél. (05) 650146. fax (05) 650146. Économique et simple dans un caravansérail historique. Abrite le meilleur bar de la ville (reste ouvert tard dans la nuit).

Restaurants

Sfax
Le Corail, 39 Rue Habib-Maazoun, tél. (04) 277300. Restaurant le plus chic de la ville. Spécialités de poisson.
Le Printemps, 57 Avenue Bourguiba, tél. (04) 226973. Restaurant français à prix modéré.
Bagdad, 63 Avenue Farhat-Hached, tél. (04) 223085. Plus modeste mais bonne cuisine.

Gabès
Al-Mazar, tél. (05) 272065. L'un des restaurants les plus chics de la ville. Cher.
L'Oasis, 15 Avenue Farhat-Hached, tél. (05) 270098. Près de la plage. Bons plats mais assez chers.
La Ruche, tél. (05) 270369. Cuisine tunisienne à prix modérés.

Djerba
Princesse d'Haroun, Le Port, Houmt-Souk, tél. (05) 650488. Charmant restaurant de poisson sur le port. Le meilleur de l'île.
Restaurant Blue Moon, Rue Moncef-Bey, Houmt-Souk, tél. (05) 650559. Restaurant traditionnel dans la vieille ville. Cour ouverte et spécialités locales.

Visites et Excursions

Le golfe de Gabès, et Djerba en particulier, est un point de départ idéal pour **explorer les ksour** (villages berbères fortifiés) du Sud. Des circuits organisés d'une journée avec départ tôt le matin et retour en fin de journée sont proposés dans les principaux hôtels de villégiature. Au départ de Sfax, des excursions d'une journée dans les **îles Kerkennah** et vers d'autres lieux intéressants sont organisées. Vous pouvez vous y rendre par vos propres moyens en car-ferry (*voir* ci-après).

Adresses utiles

Office de tourisme de Sfax, avenue Habib-Bourguiba (dans le pavillon), tél. (04) 224606.
Aéroport, tél. (04) 241700.
Gare ferroviaire, Avenue Habib-Bourguiba, tél. (04) 221999.
Gare routière, Avenue du Commandant-Bejaoui, tél. (04) 229522 (directions Gabès, Djerba, Médenine et Tunis) ; rue Tazarka, tél. (04) 222335 (destinations Mahdia, Kairouan et Sousse).
Car-ferry (pour les îles Kerkennah), 5 avenue Mohammed-Hedi-Kefacha, tél. (04) 223615.

Office de tourisme de Gabès, Avenue Hedi-Chaker, tél. (05) 270254.
Gare routière, Rue Mongi-Slim, tél. (05) 270744.
Gare ferroviaire, Route de Médenine, tél. (05) 270323.

Office de tourisme de Djerba (régional), Route de Sidi-Mahrez, Houmt-Souk, tél. (05) 650544.
Office de tourisme local, Place des Martyrs, Houmt-Souk, tél. (05) 650915.
Office de tourisme de Midoun, tél. (05) 658116.

Police, tél. (05) 650015.
Hôpital, Avenue Habib-Bourguiba, tél. (05) 650269.

GABÈS	J	F	M	A	M	J	J	A	S	O	N	D
Temp. moyennes °C	16	18	21	23	26	28	32	33	31	27	22	17
Heures de soleil/j.	10	11	12	13	14	14	14	13	12	11	10	9
Précipitations mm	23	18	20	10	8	0	0	3	13	31	31	15
Jours de pluie	4	3	4	3	2	2	0	1	3	4	4	4

7
Le Sud et le désert

À mesure que les plages et villes du littoral cèdent le pas au Sahara, la Tunisie révèle un nouveau visage, composé de mers de sable à l'infini et de plateaux désertiques désolés, ponctués de **villages berbères** et de fraîches oasis. La plupart des gens du désert continuent de vivre de manière traditionnelle, même si la présence des touristes pèse sur leur économie et leur mode de vie. Suite à l'engouement des touristes pour le Sahara, la qualité des hôtels situés dans le désert s'est améliorée – certains étant même très luxueux. Certains visiteurs préfèrent toutefois la simplicité d'un safari à travers les dunes de sable et des nuits passées sous la tente, sous la voûte étoilée.

À NE PAS MANQUER

** **La palmeraie de Nefta :** entre bruissements de palmes et bassins d'eau.
** **Les piscines romaines de Gafsa :** une atmosphère sans égal et un riche passé.
*** **Le train le Lézard rouge :** un itinéraire sensationnel à travers les gorges désertiques.
*** **Chebika :** parfait exemple d'oasis de montagne.
*** **Matmata** et ses maisons et hôtels souterrains.
*** **Chenini :** un village berbère authentique dans un cadre spectaculaire.

Chott-el-Djerid

Le pays est presque divisé en deux par le chott-el-Djerid, un vaste **lac salé** frangé d'oasis, dont les grandes **oasis** de Tozeur, Nefta et Kebili. Jusqu'à l'achèvement de la route bitumée en 1984, il fallait traverser le chott à travers l'immense croûte salée pour pouvoir gagner Tozeur, Douz et Nefta. La mince pellicule de surface dissimule souvent une terre meuble et boueuse. Jadis, les histoires de voyageurs disparus sans laisser de trace étaient courantes. L'une d'entre elles relate la perte des mille chameaux d'une caravane.

Aujourd'hui, le chott est devenu un lieu de pratique du **char à voile** : sa surface sèche et cristalline se prête à la course à grande vitesse. Les moins aventureux se contenteront de suivre la route et d'observer le spectacle. En été, le chott accueille des colonies de flamants roses et autres **oiseaux aquatiques**.

Ci-contre : *la beauté austère du désert près de Tataouine attire aussi bien les explorateurs que les rêveurs.*

LE CLIMAT DANS LE SUD ET LE DÉSERT

Le sud de la Tunisie jouit d'un climat extrêmement chaud et aride. Les aquifères souterrains sont les seules sources d'eau et l'agriculture ne peut généralement être pratiquée que dans les **oasis** où l'eau de source est pompée.

L'**été** dans le Sud peut s'avérer incroyablement torride et lourd. Dans les régions sahariennes, le temps est parfois chaud même en **hiver**, mais il arrive que les températures chutent aux environs de 0 °C.

Le plus grand chott de tout le Sahara s'étend sur près de 250 km de long et 20 km de large. Les mirifiques projets élaborés au XIXe siècle pour creuser un canal à travers le chott n'ont pas abouti, à l'instar du projet encore plus étrange de faire exploser une bombe nucléaire dans le chott pour y creuser une vaste dépression de la taille d'un lac.

Les petits villages disséminés autour du chott vivent grâce à l'eau souterraine, et par endroits, comme à Tozeur, des **sources** jaillissent dans des bassins d'eau chaude.

GAFSA

Capitale de la région, Gafsa s'étend au nord du chott-el-Djerid. Connue sous les Romains sous le nom de **Capsa**, le site était peuplé dès l'âge de la pierre par des **Capsiens**. La situation stratégique de la ville explique probablement qu'elle ait été continuellement occupée au fil des siècles.

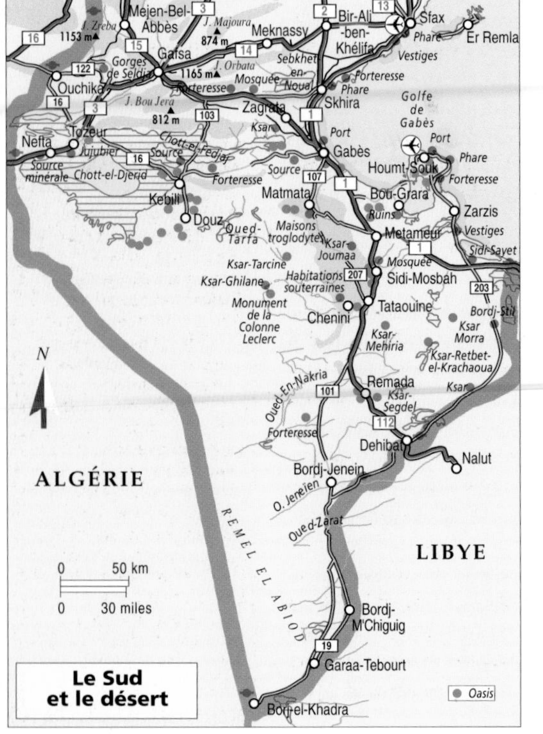

Le Sud et le désert

L'ancienne Gafsa

Sous les Carthaginois, Gafsa était une forteresse berbère avant de venir grossir sous les Romains la longue liste des colonies sahariennes rattachées à l'empire de Rome. La Capsa romaine devint une riche ville commerçante sous l'empereur Trajan et un important atout dans l'échiquier romain. Elle demeura ainsi tout au long de l'ère byzantine et sa romanité continua de s'affirmer après la prise de la ville par les armées arabes en 668 apr. J.-C.

Ci-dessus : *tous les amateurs de trains ne manqueront pas d'emprunter le Lézard rouge, un train du XIXe siècle.*

La casbah de Gafsa *

Construite par les **Hafsides** en 1434 puis prise en 1556 par **Dragut** allié aux Ottomans, cet édifice séculaire a malheureusement été sérieusement endommagé par l'explosion d'un dépôt de munitions au cours de la Seconde Guerre mondiale.

La ville abrite également deux intéressantes **piscines romaines**, dont la plus vaste a été conçue dans un cadre pittoresque, flanquée de la maison du bey ornée de plusieurs arcades et de palmiers bruissants. De jeunes garçons n'hésitent pas à plonger dans les bassins, parfois de très haut, pour obtenir quelques pièces des touristes en récompense de leurs efforts.

La Grande Mosquée de Gafsa *

La Grande Mosquée mérite une visite. Restaurée en 1969, elle comporte un haut **minaret** carré qui offre un beau panorama sur la ville.

Le Lézard rouge ***

Ce train sensationnel a été construit à la demande du bey de Tunis à la fin du XIXe siècle. Partant de la gare de Metlaoui, il accomplit un circuit en boucle à travers les **gorges** spectaculaires **de l'oued Seldja**. Le train est tracté par une locomotive à vapeur et compte cinq wagons, tous restaurés dans leur éclat d'antan. Les mordus de trains seront enchantés par les authentiques panneaux de bois et tapis rouges des revêtements. Les appareils d'éclairage eux-mêmes sont authentiques. L'extérieur des wagons est peint en rouge. Le circuit dure 1 h 30 environ et les départs, quasi quotidiens en haute saison, ont lieu à 10 h 30. Pour plus d'informations, contacter Transtours au (06) 240634. Metlaoui, terminus du train, est une ville industrielle plutôt laide vivant de l'extraction du phosphate. Après les premiers kilomètres un peu ternes, le paysage devient plus beau et plus spectaculaire.

LES COMBATS DE CHAMEAUX

Bien que plus rares aujourd'hui, les combats de chameaux se pratiquent dans tout le Moyen-Orient et l'Afrique du Nord. Les **festivals** organisés en hiver dans les régions désertiques de Tunisie sont l'occasion rêvée d'assister à ces luttes antiques.

Pendant les combats, l'action est souvent très brève et la victoire revient, si ce n'est au plus intrépide, au moins au plus fort des chameaux mâles. Deux jeunes mâles, d'environ deux ans, s'affrontent en se servant de leur long cou pour terrasser leur adversaire. Même s'ils poussent de bruyants gémissements au cours du combat, les animaux ne se blessent jamais.

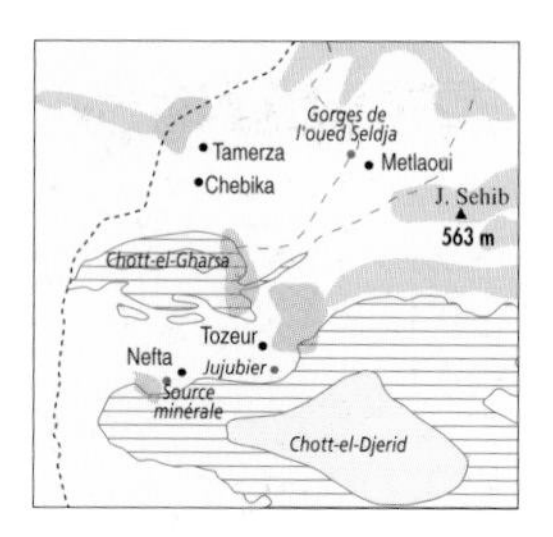

Ci-contre : *dans le paysage quelque peu austère des environs de l'oasis de Chebika se nichent une palmeraie luxuriante et sa cascade.*

Les oasis de montagne

À l'approche de la frontière algérienne, dans l'ouest du pays, le paysage devient plus montagneux. Les plateaux abritent un grand nombre d'oasis de montagne.

Chebika **

La plus visitée de toutes les oasis de montagne, Chebika est l'archétype de l'oasis avec ses **palmiers**, **oliviers** et arbustes, tel le **grenadier**. Si le village accroché à flanc de montagne est aujourd'hui en ruine, l'oasis en contrebas, alimentée par des canaux d'irrigation, est loin de l'être. L'eau coule en cascade le long de crevasses dans la roche calcaire pour se jeter plus bas dans des bassins. Les habitants cassent des rochers et vendent, pour quelques dinars, les cristaux qu'ils renferment.

Tamerza **

Plus au nord, près de la frontière algérienne, Tamerza, perché de part et d'autre d'un wadi, est un ancien village du désert abandonné après une crue phénoménale survenue voilà bien des années. Les maisons ayant réchappé à l'inondation présentent une architecture saharienne traditionnelle, typique de la région. Derrière le village s'étend une vaste **palmeraie** toujours productive. La nouvelle ville se dresse de l'autre côté du wadi avec son hôtel quatre étoiles niché à flanc de montagne. Du bassin, où vous pouvez vous baigner, vous pourrez admirer le paysage par-delà le wadi.

Les dunes de sable

Les grandes dunes visibles dans certaines parties du Sahara se forment sous l'action du **vent**. La lourdeur des particules de sable les empêche de tourbillonner dans l'air et les ramène tout près du sol, où elles s'amoncellent après avoir rencontré un obstacle, des broussailles par exemple. La butte se transforme progressivement en petite colline et le sable tombe du côté sous le vent. Ainsi, le côté au vent présente-t-il généralement une pente douce tandis que le côté sous le vent est plus raide.

Le mouvement du vent les **déplace** tout doucement. Lorsqu'une ville ou un village se trouve sur leur chemin, les bâtiments sont ensevelis sous le sable en mouvement. Lorsqu'il **pleut**, ce qui est rare, l'eau s'infiltre dans la dune et l'humidité ainsi créée contribue à la consolider.

Tozeur

L'ancienne médina de cette ville-oasis a été édifiée avec des briques crues agencées selon un plan géométrique – rappelant la Perse antique – que l'on ne retrouve que dans la ville voisine de Nefta. Les origines romaines de la ville ont disparu sous plusieurs niveaux de bâtiments, et les seuls vestiges exposés au **musée des Arts et Traditions populaires** sont des chapiteaux érodés et de gigantesques jarres à huile. Tusuros, de son ancien nom, était jadis situé sur la route du désert. Ses 200 sources en faisaient une halte fréquentée par les marchands.

Le principal attrait de la ville réside dans sa **palmeraie**, abritant plus de 250 000 arbres sur 10 km^2. Il est possible d'en faire le tour à cheval, à dos de chameau, ou encore en calèche.

Institution privée, le **musée Dar Cherait** est une ancienne demeure reconvertie abritant notamment des tableaux évoquant la vie tunisienne, ainsi qu'une belle collection de meubles anciens. Ouvert t.l.j. de 8 h à 20 h.

Camper dans le désert

Si vous comptez passer une nuit sous le ciel du Sahara, veillez à respecter certaines règles :

- Prévenez quelqu'un de l'endroit où vous vous rendez et de votre heure d'arrivée approximative. Informez de votre présence la **garde nationale** aux postes de contrôle ou la **police** locale .
- Assurez-vous que votre **véhicule** est en bon état et n'oubliez pas d'emporter des roues de secours et des outils.
- Emportez une réserve d'**eau** suffisante en cas de retard ou de contretemps (5 litres par personne).
- En cas de panne dans le désert, **n'abandonnez** votre véhicule sous aucun prétexte pour aller chercher de l'aide.

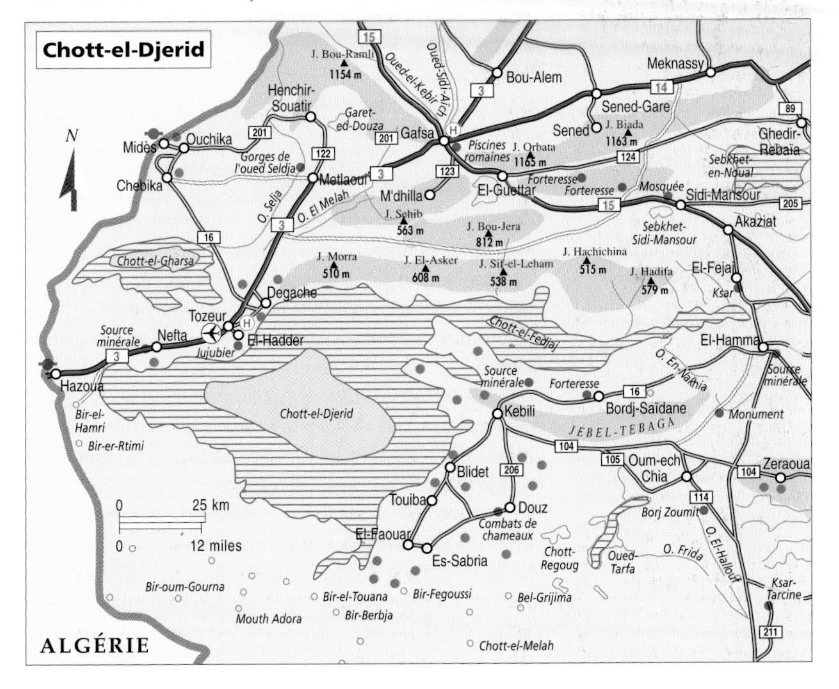

Ci-dessus : *le marché aux épices de Douz n'est qu'arômes exquis et couleurs exotiques.*

Nefta **

La jolie ville-oasis de Nefta est l'un des plus importants centres religieux, et plus particulièrement **soufiques** (une branche mystique de l'islam), de Tunisie. Les rues étroites et sinueuses de la vieille ville sont de ce fait jalonnées de nombreux sanctuaires et mosquées, édifiés presque les uns à côté des autres.

L'économie de la ville repose essentiellement sur le **tissage** comme en témoignent les **kilims** colorés et les **pièces murales** ornées de motifs géométriques – rappelant les bâtiments en briques de terre de la région – suspendues devant les boutiques de tapis de la ville.

Baptisée *La Corbeille*, la palmeraie de Nefta est nichée au fond d'un cirque d'où jaillissent plusieurs sources donnant naissance à des bassins dans lesquels il est possible de se baigner, généralement suivant des horaires interdisant la mixité. La ville abrite en outre une **source d'eau chaude**.

Douz

Douz ne compte guère d'attraits naturels, mais accueille chaque année pendant une semaine, aux environs de Noël, un **festival** de manifestations traditionnelles. Organisé pour la première fois au milieu des années 1970 afin de préserver le folklore et la tradition, le festival a rapidement attiré de nombreux touristes étrangers, certains ayant fait le voyage uniquement pour y assister. Outre les exercices à cheval, vous pourrez voir des courses et des **combats de chameaux** (*voir* encadré page 113). Ce festival animé et haut en couleurs est également l'occasion d'admirer des hommes et des femmes en costume local, venus de tout le Sud.

Le reste de l'année, Douz organise des **safaris dans le désert**, et mérite bien son nom de « Porte du désert ». À partir d'ici s'étend le Sahara avec ses dunes de sable, ses oasis plantées de palmiers et ses ciels spectaculaires. Il faut savoir qu'en été les températures peuvent être extrêmement chaudes. Lors du **marché** animé du jeudi, qui attire des gens

LA *GUERRE DES ÉTOILES*

Alors qu'ils cherchaient où tourner les scènes censées figurer des planètes étrangères, les cinéastes de *La Guerre des étoiles* pensèrent à **Matmata**. Une **habitation troglodytique** devint la maison de Luke Skywalker, et la célèbre scène de bar fut tournée dans le hall d'entrée de l'**hôtel Sidi Driss**. Rien de surprenant à ce que Matmata ait été choisi, pour sa ressemblance à un paysage lunaire fantastique. Nombre d'inconditionnels du film viennent en pèlerinage sur le lieu de tournage, et résident à l'hôtel de *La Guerre des étoiles*.

venus de loin, vous pourrez faire toutes sortes d'achats : depuis des roses des sables du désert jusqu'à des robes, des sandales ou des dattes. La plupart des visiteurs se dirigent toutefois rapidement vers la section du marché consacrée au commerce des **chameaux**.

MATMATA

Matmata porte le nom de la tribu qui vit dans la région. Elle est aujourd'hui plus particulièrement connue pour ses **habitations souterraines**. Comme à Bulla-Regia, les Berbères de Matmata ont creusé leur maisons dans le grès afin d'échapper à la chaleur torride de l'été. Cette tradition date de plus de 400 ans. Malgré la création d'une ville nouvelle en contrebas, nombre d'habitants continuent de vivre dans les anciennes habitations. Plusieurs maisons ont en fait été transformées en **hôtels troglodytiques** et d'autres abritent des commerces de souvenirs.

Il va sans dire que Matmata est une destination très touristique, ce qui n'est pas pour plaire à tout le monde, notamment aux habitants de la ville dépassés par ce flot de touristes. Matmata n'en demeure pas moins un lieu fascinant, notamment en basse saison.

LE FESTIVAL DE DOUZ

Ce festival a lieu dans le désert, aux portes de la ville, et dure trois jours. Vous pourrez y voir la population tribale **défiler** dans des **costumes** extraordinaires ainsi qu'un cortège de mariage traditionnel à dos de chameaux ainsi que le *howdah* dans lequel se trouve la promise. Parmi les autres manifestations figurent des **combats de chameaux** et des **courses de lièvres**.

LES KSOUR

L'extrême Sud de la Tunisie est la région la plus authentique du pays avec son écrin de **villages berbères** s'étirant depuis les zones montagneuses jusqu'au désert près de la frontière libyenne.

Sur le plan historique, la région est célèbre tant pour sa farouche indépendance vis-à-vis de toute autorité que pour ses bandits de grand chemin (avis aux personnes suffisamment inconscientes pour voyager sans protection). Même les explorateurs africains du siècle dernier s'en tenaient à l'écart.

Ci-dessous : *course de chameaux organisée chaque hiver à l'occasion du festival de Douz.*

LES SEPT DORMANTS

En butte aux persécutions romaines, sept **chrétiens** auraient été enfermés dans une cellule à Chenini. À leur réveil, quelque quatre siècles plus tard, les dormants s'aperçurent qu'ils avaient continué de grandir au point d'atteindre 3,5 m de hauteur. Ce n'est qu'après s'être convertis à l'**islam** qu'ils moururent et gagnèrent le Paradis. Leurs tombes, effectivement gigantesques, ne manqueront pas de vous laisser perplexes.

Le terme « ksour » est le pluriel de ksar qui désigne un **grenier à grains** fortifié. Ces magnifiques constructions sont visibles sur les sommets qui courent jusqu'à Garyan en Libye. Fabriquées en briques de terre, elles sont composées de dizaines de **cellules** groupées comme les alvéoles d'une ruche (les *ghorfas*) dans lesquelles étaient stockés le grain et l'huile. En cas d'attaques, la population pouvaient se mettre à l'abri derrière leurs remparts impénétrables.

Médenine **

Médenine est la principale ville-marché de la région et le point de départ habituel des circuits touristiques consacrés à la découverte des ksour. Le vaste ksar de Médenine a été en grande partie détruit mais sa cour est encore visible. Derrière les *ghorfas* transformés en boutiques se trouvent quelques *ghorfas* abandonnés qui vous donneront une idée plus précise de ce qu'ils étaient autrefois. S'il vous reste un peu de temps, dirigez-vous vers **Metameur**, à l'ouest, pour voir le ksar perché au sommet du village.

La route principale menant à Tataouine, dans le Sud, ne présente guère d'intérêt. Aussi, vaut-il mieux faire un détour par Ksar-Joumaa et Beni-Kheddache avec en toile de fond le **djebel Dahar**, l'un des plus beaux paysages qu'il vous sera donné de voire en Tunisie. À **Ksar-Joumaa**, vous verrez – perché sur un piton – un ksar remarquable qui, sous un extérieur simple, cache un intérieur sublime.

Ci-dessous : *le ksar restauré de Médenine accueille souvent des spectacles de danse et de musique traditionnels.*

Tataouine ★★

C'est aux alentours de **Tataouine** que vous pourrez admirer quelques-uns des plus beaux paysages de Tunisie. La région est ponctuée de villages berbères et de nombreuses **sources** minérales (littéralement, le terme *tataouine* signifie « bouche des sources »). Le ksar n'est qu'à quelques kilomètres de la ville, sur la route de Remada. Il faut une heure environ pour accéder au sommet, d'où l'on jouit de **panoramas** vraiment spectaculaires sur la ville et les environs.

Ci-dessus : *ferme modeste au pied de montagnes abritant un ksar.*

Chenini ★★

Il ne faut surtout pas manquer le village tout proche de Chenini. À 18 km environ à l'ouest de Tataouine, il est perché au sommet d'une crête dans un cadre somptueux. Le ksar de cet authentique village de montagne berbère est toujours utilisé pour stocker le grain où il peut être conservé pendant 10 ans. Tout près, se trouvent la mosquée et les tombes des mystérieux « **sept dormants** » : les tumulus abritant leurs tombes mesurent 5 m de long et il en existe onze dans la région. Ces tombes ont naturellement donné naissance à de curieuses légendes.

En quittant Chenini

Plus au sud, le pittoresque village de **Douiret**, relativement bien conservé, est situé sur un massif montagneux. Plus loin encore, se dresse le **ksar Ouled-Soltane**, le mieux préservé du Sud avec ses quatre étages de *ghorfas*. C'est l'un des derniers villages que vous rencontrerez avant la frontière libyenne. S'ils ne proposent rien d'autre que des occasions de balades à pied, ces villages offrent la possibilité de mieux comprendre la vie des berbères.

MAISONS TROGLODYTIQUES

Les **Berbères** choisirent de creuser leur maison dans la roche, mélande de grès facile à travailler et de couches plus dures de roche calcaire.

Il existe deux grands types d'habitations : les maisons creusées sous terre et à flanc de colline. Les premières s'ordonnent autour d'un **trou** circulaire ou carré, creusé verticalement et servant de cour sur laquelle s'ouvrent des chambres et des entrepôts à provisions bâties sur un plan horizontal, et au milieu de laquelle se trouve un puits. On y accède par une **galerie** en pente douce jalonnée de pièces annexes pour les animaux.

Les maisons à flanc de colline sont généralement superposées les unes au-dessus des autres ou taillées en enfilade dans la roche. Chacune d'entre elles possède sa propre **cour** entourée d'un mur qui la sépare des autres habitations.

Le Sud et le désert en un coup d'œil

Quand partir ?

Voyager dans le Sud en été peut s'avérer très inconfortable en raison de la chaleur, d'autant que, en dehors des principales villes, rares sont les endroits possédant des piscines ou offrant l'air conditionné. Le **printemps** et l'**automne** sont les saisons les plus propices à une incursion, bien qu'il fasse encore chaud. L'**hiver**, vers Noël et le Jour de l'an, est également une période prisée, puisqu'à cette époque se déroulent les festivals de Douz et du Sahara qui se suivent de près. Si vous envisagez de résider à Douz, réservez bien à l'avance.

Comment s'y rendre ?

Des liaisons **aériennes** relient Tunis à Tozeur (mais pas tous les jours), et un vol hebdomadaire dessert Tozeur au départ de Djerba. Il existe également des vols internationaux directs Paris-Tozeur. De là, vous pourrez gagner par autocar d'autres villes du désert comme Nefta, Gabès, Gafsa et Douz.
Tamerza est la seule oasis de montagne desservie par **autocar** avec correspondance pour Gafsa.
Pour vous rendre à Matmata, empruntez un autocar au départ de Gabès (ou depuis Tunis, l'autocar reliant Matmata en 5 h 30). Des ***louages*** desservent également les principales villes et d'autres plus petites.

Moyens de transport

Le sud de la Tunisie est difficilement accessible en transport public. Il est possible d'explorer la région en **autocar** et ***louages***. Pour éviter d'être bloqué dans un lieu reculé, prévoyez votre itinéraire un peu à l'avance. Si vous voyagez en groupe, vous pouvez louer un **taxi** à la journée et vous arrêter ainsi où vous le voudrez.
Il vaut mieux négocier le prix à l'avance ; cette formule peut s'avérer économique.

Hébergement

La plupart des villes du désert n'offrant guère de choix en matière d'hébergement, le mieux est de faire escale à Tozeur et Nefta où vous trouverez toute une gamme d'hôtels assez confortables. Dans les zones plus reculées, il n'y a parfois qu'un seul hôtel, voire pas du tout, aussi est-il préférable de vous renseigner avant de vous y rendre. Pour changer d'ambiance, vous pouvez loger dans les hôtels troglodytes de Matmata.

Tozeur

Dar Cherait, Route touristique, 2200 Tozeur, tél. (06) 454888, fax 452329. Le meilleur hôtel de la ville. Un 5-étoiles offrant tous les services de sa catégorie : cuisine et prestations de qualité.
Palm Beach Hôtel, Route touristique, 2200 Tozeur, tél. (06) 453211, fax 453911. L'un des meilleurs hôtels de tourisme de la ville.
Hôtel El-Jerid, Avenue Abou-al-Kacem-Chabbi, tél. (06) 50597. L'un des meilleurs hôtels de Tozeur avec piscine chauffée à l'extérieur.
Residence Warda, Avenue Abou-al-Kacem-Chabbi, tél. (06) 50597. Hôtel petit budget géré par une famille et offrant un bon rapport qualité-prix. Très propre. Situé à l'orée de la palmeraie.

Gafsa

Hôtel Maamoun, Route de Gabès, tél. (06) 22740. Fréquenté par les groupes de touristes, cet hôtel est assez confortable, mais plutôt cher pour ce qu'il offre.
The Gafsa Hôtel, Rue Ahmed-Senoussi, tél. (06) 22676. Hôtel milieu de gamme, simple mais plutôt confortable. Chauffage en hiver, ce qui est appréciable la nuit.
Tunis Hôtel, Place du 7-Novembre, tél. (06) 21660. Hôtel petit budget à prestations limitées.
Hôtel Khalfallah, Avenue Taieb-Mehiri, tél. (06) 21468. Hôtel économique offrant des chambres simples. Le bar et le restaurant au rez-de-chaussée sont plutôt animés en soirée.

Nefta

Bel Horizon, Cité Corbeille, Avenue du 7-Novembre, 2240 Nefta, tél. (06) 430328, fax 430500.

Le Sud et le désert en un coup d'œil

Douz
Melia Al-Mouradi Douz, Zone touristique, BP 155, 4260 Douz, tél. (05) 470303, fax 470905.

Tamerza
Tamerza Palace, Zone touristique, 2200 Tamerza, tél. (06) 453722, fax 453845. Le meilleur hôtel du désert tunisien. Chic, avec piscine en terrasse donnant sur le wadi. Délicieuse cuisine et architecture organique.
Hôtel des Cascades, La palmeraie, tél. (06) 48520. Situé au cœur de l'oasis dans un cadre merveilleux, cet hôtel comporte une piscine et des douches fiables.

Matmata
Ksar Amasir, Route de Tamezret, 6070, Matmata, tél. (05) 230088. L'un des rares hôtels troglodytiques.
Hôtel Sidi Driss, tél. (05) 230005. Célèbre pour avoir accueilli le tournage de la scène du bar dans *La Guerre des étoiles*. Beaucoup de cachet pour peu de luxe, mais qui s'en soucierait dans un endroit aussi splendide ?
Matmata Hôtel, BP 64, 6070 Matmata, tél. (05) 230066, fax 230177. Ce n'est pas un hôtel troglodyte, mais l'on y trouve une piscine.

Tataouine
Dakyanus, BP 234, zone Al-Ferch, 3200 Tataouine, tél. (05) 863499, fax 863498.

Restaurants

La plupart des hôtels proposent des plats européens et tunisiens d'une qualité raisonnable. En dehors des grandes villes du désert, les possibilités de manger à l'extérieur sont plutôt limitées. Vous pourrez toujours trouver un **petit restaurant** servant des plats simples et savoureux, et goûter ainsi aux spécialités locales. Si vous souhaitez quelque chose de plus chic, le restaurant de l'**hôtel Tamerza** est excellent mais assez cher.
À **Tozeur**, essayez le **Petit Prince** qui donne sur la palmeraie. À **Nefta**, vous trouverez un **bar/restaurant** dans la **palmeraie** qui sert de simples grillades et des bières froides.

Visites et Excursions

Vous pouvez soit faire une excursion dans le désert lors de votre séjour en bord de mer, soit faire un circuit uniquement dans le **désert**. Si vous souhaitez simplement faire une pause, de nombreuses excursions au départ de Djerba ou des autres stations balnéaires vous donneront un avant-goût du Sahara. Comptez trois jours, dont deux nuits sous les tentes.

Douz Voyages, Douz, tél. (05) 470178, fax 470315 ; Djerba, tél. (05) 652738, fax 470315. L'une des meilleures agences pour les circuits dans le désert, spécialisée depuis longtemps dans ce type d'excursions.
Carthage Tours, Tozeur, tél. (06) 451300, fax 451409.
Tozeur Voyages, Tozeur, tél. (06) 452130, fax 452203.
Ksour Tours, Tataouine, tél. (05) 862338.
Transtours (réservation pour le train le Lézard rouge), tél. (06) 240634.

Adresses utiles

Office de tourisme de Gafsa, Place des Piscines romaines, tél. (06) 221664.
Gare routière, tél. (06) 220335.
Gare ferroviaire, tél. (06) 220012.
Office de tourisme de Tozeur, Avenue Habib-Bourguiba, tél. (06) 454088.
Office de tourisme de Nefta, Avenue Habib-Bourguiba, tél. (06) 57184.
Office de tourisme de Douz, Avenue Habib-Bourguiba, tél. (05) 470351.
Police de Tataouine, Place des Martyrs, tél. (06) 860814.

GAFSA	J	F	M	A	M	J	J	A	S	O	N	D
Temp. moyennes °C	14	20	19	21.5	26	29	30	30.5	28.5	25	21	18
Heures de soleil/j.	10	11	11	11	12	12	12	12	12	11	11	11
Précipitations mm	18	13	23	15	10	8	3	5	13	13	18	13
Jours de pluie	3	3	3	3	3	1	1	1	3	3	3	0

Informations pratiques

Offices de tourisme

Il existe un **Office national du tourisme tunisien** (ONTT) dans la plupart des capitales européennes. À Tunis, l'Office national du Tourisme est situé 1 avenue Mohammed-V, tél. (01) 341077. Les principales villes touristiques tunisiennes comptent un office de tourisme régional. Tous proposent de nombreuses brochures et cartes des régions. Dans les plus petites villes, des syndicats d'initiative identifiables par une enseigne bleue et rouge vous fourniront des informations .

En France : Office national du tourisme tunisien,
32 avenue de l'Opéra, 75002 Paris,
tél. 01 47 42 72 67,
fax : 01 47 42 52 68

Représentation régionale de l'Office national du tourisme tunisien, 12 rue de Sèze,
69006 Lyon, tél. 04 78 52 35 86,
fax : 04 72 74 49 75

Ambassade de Tunisie,
25 rue Barbet-de-Jouy, 75007 Paris, tél. 01 45 55 95 98

Centre culturel tunisien,
25 rue Fortuny, 75017 Paris,
tél. 01 53 70 69 10

En Belgique : Office national du tourisme tunisien, Galerie Ravenstein 60, 1000 Bruxelles,
tél. (02) 511 11 42/511 28 93,
fax : (216 1) 511 36 00

Ambassade de Tunisie : avenue de Tervueren 278, 1150 Bruxelles,
tél. (02) 771 73 95

En Suisse : Office national du tourisme tunisien,
69 Bahnhofstrasse, 8001 Zürich,
tél. (01) 211 48 30/31,
fax : (216 1) 212 13 53

Ambassade de Tunisie :
63 Kirchenfeldstrasse, 3005 Berne,
tél. 31 44 82 25

Au Canada : 1253 Mc Gill College, bureau 655, Montréal-Québec H3B 2Y5, tél. (216 1) 397 11 82,
fax : (216 1) 397 16 47

Formalités d'entrée

Carte d'identité de moins de 10 ans acceptée pour les séjours organisés et les touristes individuels munis d'une réservation d'hôtel. Sinon, **passeport** en cours de validité. Aucun visa n'est nécessaire pour les séjours ne dépassant pas trois mois pour la plupart des touristes de l'UE. Les détendeurs d'un passeport israélien ne sont pas admis et il est préférable qu'aucun tampon des services de l'immigration israéliens ne figure sur votre **passeport**. Tous les visiteurs doivent remplir une **fiche d'immigration** à leur arrivée.

Douane

Sont actuellement admis en franchise de droits : une bouteille d'alcool, 200 cigarettes ou 40 cigares ou 400 g de tabac, deux appareils photo, un caméscope, 10 pellicules photo couleur et 10 noir et blanc, des bijoux personnels à hauteur de 500 g de métal précieux, un magnétophone, un tourne-disque, un instrument de musique, une bicyclette et une machine à écrire. Si vous emportez davantage d'articles dans vos bagages (un ensemble photographique comportant plusieurs appareils photo ou autres), les agents des douanes en feront l'inventaire sur votre passeport. **Important** : Veillez à bien faire contrôler votre matériel avant de quitter le pays. L'importation et l'exportation de monnaie tunisienne sont interdites. Vous pouvez, en revanche, emporter autant de devises étrangères que vous le souhaitez et les réexporter.

Conditions sanitaires

Aucune vaccination n'est exigée pour la Tunisie.

Comment s'y rendre ?

Par avion : La Tunisie est bien des-

servie depuis l'Europe, tant par des vols réguliers que charters. Les vols réguliers ont pour destinations principales : Tunis, Monastir et Djerba. Il existe des liaisons directes Paris-Tozeur et Sfax. Depuis le reste du monde, il est préférable de prendre un vol en correspondance à Rome, Paris ou Londres. Les vols charters à destination de Monastir et de Djerba sont nombreux au départ de la France et des autres pays européens. Il existe en outre une liaison bi-hebdomadaire au départ et à destination de Malte.
En bateau : Des car-ferries assurent la liaison Marseille-Tunis avec 1 rotation hebdomadaire en hiver et 2 ou 3 en été. Si vous voyagez avec votre voiture, il est conseillé de réserver bien à l'avance. En Italie, des ferries assurent également la traversée au départ de Naples, Gênes, et Palerme, une fois par semaine en hiver et plus fréquemment en été. Pour plus d'informations, contacter la Société nationale maritime Corse-Méditerranée (SNCM) au 08 36 67 95 00 pour Paris, au 04 72 41 61 41 pour Lyon et au 04 91 56 30 30 pour Marseille.
En Belgique, renseignements et réservations au (02) 54 08 88.

Vêtements conseillés

Les étés en Tunisie pouvant être très chauds, il est préférable d'emporter des tenues légères, décontractées, faciles à laver. Pensez également à vous munir d'une bonne paire de lunettes de soleil et d'un chapeau.
À l'écart des stations touristiques, il faut parfois être plus habillé, aussi emportez des pantalons en coton légers et un T-shirt à manches longues. Pour visiter les mosquées, les femmes devront penser à se munir d'un foulard. Pour les circuits dans le Sahara, n'oubliez pas que le soleil est parfois très intense. Outre les conseils prodigués plus haut, il est bon d'emporter un foulard en coton pour se couvrir le cou, très sujet aux mauvais coups de soleil. Une crème solaire de bonne qualité s'impose également. Selon l'endroit où vous résiderez, vous pourrez juger utile d'ajouter à vos bagages une tenue élégante mais décontractée, pour les soirées. Si la décontraction est de rigueur dans les stations de villégiature, en ville un peu plus d'élégance est souvent de mise. Le soir, lorsque les températures baissent, un chandail ou une veste pourra vous être utile. Le climat étant parfois humide en hiver, pensez à emporter un vêtement de pluie léger à mettre par-dessus votre pull.

Monnaie et change

Monnaie : L'unité monétaire tunisienne est le dinar qui se divise en 1 000 millimes. Il existe des pièces de 1, 2 et 5 millimes ainsi que de 1/2 et 1 dinar, et des coupures de 10, 20, 50 et 100 millimes.
Change : Les bureaux de change des aéroports sont ouverts de 7 h jusqu'à l'arrivée du dernier avion. Les heures d'ouverture des banques diffèrent selon la saison. Elles ouvrent en hiver (1er octobre - 1er juillet) de 8 h à 11 h et de 14 h à 16 h du lun. au ven. ; le reste de l'année de 7 h 30 à 11 h ou de 8 h à 12 h. Ces horaires sont restreints durant le mois du ramadan dont la date change chaque année. Vous pourrez également changer de l'argent dans la plupart des hôtels ainsi que dans certaines agences de voyages. Veillez à conserver votre reçu, car il vous sera demandé si vous souhaitez rechanger vos dinars en fin de séjour.
Cartes de crédit : Les principales cartes de crédit sont acceptées dans les grands hôtels, les agences de location de voitures ainsi que dans certains restaurants et boutiques chic. Les petits magasins et commerçants des souks n'acceptent en général que les espèces. Pour tout règlement par carte de crédit et changement d'argent, vous devrez présenter votre passeport.
Pourboires : Les pourboires ne sont pas obligatoires mais attendus. Il suffit en général d'arrondir une note avec quelques pièces.

Jours fériés

Les jours fériés observés en Tunisie sont les suivants :
1er janvier • Jour de l'an du calendrier grégorien
18 janvier • Anniversaire de la Révolution
20-21 mars • Fête de l'Indépendance suivie de la fête de la Jeunesse
9 avril • Jour des martyrs
1er mai • Fête du Travail
1er juin • Journée nationale
13 juillet • Journée de la Femme
25 juillet • Fête de la République
7 novembre • Anniversaire de l'arrivée au pouvoir du président Ben Ali.
Il existe en outre différentes fêtes musulmanes basées sur le calendrier lunaire. Elles sont décalées d'environ 11 jours chaque année. Les principales sont le **ramadan** (mois du jeûne), l'**aïd El-Fitr**, l'**aïd El-Adha** (également appelée Aïd El Kebir), **Muharram** (Nouvel An islamique) et le **Mouled** (anniversaire de la naissance du Prophète).

À lire

Ayachi, Tahar,
Tunisie intime
(Éditions Tunis-Carthage, 1990)
Verdié, Minelle,
La Civilisation de l'olivier
(Albin Michel, 1990)
Kouki, Mohammed,
Cuisine et pâtisserie tunisiennes
(Édition illustrée, Tunis, 1987)
Février, Paul-Albert,
Approches du Maghreb romain
(Édisud, 1989)
Flaubert Gustave,
Salaambô

Pour les portiers et le personnel des toilettes, comptez 200 millimes. Pour les serveurs et les guides touristiques, un pourboire de 5 % est de mise.

Hébergement

Le gouvernement tunisien a adopté un classement des hôtels selon un barème de une à cinq étoiles qui régit les prix applicables. La plupart des **hôtels** figurent dans la catégorie touristique des 3 à 4 étoiles qui garantit propreté et confort et souvent piscine et infrastructures sportives. En dessous de cette catégorie, vous trouverez des hôtels traditionnels charmants et propres, mais n'offrant pas autant de prestations. Dans la plupart des villes, et plus particulièrement dans la médina, il existe de nombreux hôtels non classés, très convenables, meilleur marché et bien plus intéressants à découvrir que les hôtels touristiques.
Le **camping** se développe depuis peu, et plusieurs sites ont ouvert à Hamman-Lif, Hammamet, Gabès, Nabeul, Tozeur et Zarzis notamment. Les tarifs ne sont généralement pas supérieurs à 2 DTU par personne et par nuit. Le camping sauvage est toléré dans les zones balnéaires du Nord.

Cafés et restaurants

Vous n'aurez que l'embarras du choix pour vous restaurer. Quel que soit votre budget, il est conseillé de fréquenter les restaurants tunisiens, que ce soit pour un simple couscous ou pour un repas complet. Les **hôtels pour touristes** tendent à offrir une cuisine internationale faisant peu de place aux spécialités traditionnelles, mais les **restaurants** des villes et villages servent de tout. Dans les villes plus importantes, vous trouverez des restaurants français et italiens ainsi que des pizzerias et des services de **restauration rapide**. Un repas complet, boisson comprise, dans un bon restaurant, ne devrait pas, vous coûter plus de 20 DTU, et beaucoup moins dans un établissement plus petit.

Transport

En train : Efficace et économique, le réseau ferré fonctionne bien avec des trains climatisés gérés par la SNCFT sur les principales liaisons. Depuis Tunis, il permet notamment de rallier le Nord jusqu'à Bizerte, l'ouest jusqu'à Guardimao, le Sud-Ouest jusqu'à Kalaa-Kasbah et le Sud jusqu'au cap Bon, Gabès et Gafsa. Des correspondances permettent de gagner Hammamet, Nabeul et Sousse, voire Sfax et El-Jem. Un train relie chaque jour Sfax à Gafsa et à Metlaoui, d'où vous pourrez emprunter le Lézard rouge qui vous fera traverser les gorges de l'oued Seldja.

En voiture : Les locations de voiture sont très onéreuses en Tunisie et peu indispensables sauf si vous souhaitez visiter des vestiges isolés ou de petits villages du Sud, mal desservis par le réseau d'autocars. Pour les locations, vous devez être en possession d'un permis de conduire en cours de validité datant d'au moins un an. Si vous venez avec votre propre véhicule, il vous faudra en outre vous munir de votre carte grise et d'une preuve d'assurance (vous pouvez néanmoins contracter une assurance au tiers à votre port d'entrée ou à la frontière). La vitesse est limitée à 100 km/h sur route et à 50 km/h en zone habitée. Le prix du carburant n'est pas donné et les stations-service se trouvent souvent à l'écart des grandes voies de circulation. Les points de contrôle sont fréquents le long des routes ; aussi, vaut-il mieux avoir en permanence tous les papiers du véhicule et son passeport à portée de main.

En autocar : Le réseau des autocars est étendu et bien organisé. De plus, les tarifs sont économiques. La plupart des autocars sont gérés par la Société nationale de transport qui assure des correspondances avec le réseau local géré par la Société régionale de transport (laquelle gère également les liaisons interurbaines). Ces deux sociétés sont représentées à deux endroits distincts à Tunis, Bizerte et Sfax mais son regroupées en un même lieu dans les villes plus petites. Chaque compagnie a ses propres horaires et il faut les comparer pour connaître le premier départ. Les billets s'achètent au guichet de chaque société avant le départ.

En taxi/louage : Les taxis collectifs, appelés *louages*, sont les moyens de transport les plus utilisés par les Tunisiens. Rapides, ces véhicules Peugeot de couleur jaune transportent autant de passagers que possible à travers le pays. Ils ne partent que lorsqu'ils sont au complet, et s'ils ne sont pas franchement luxueux ils ont l'avantage d'être économiques. Plus rapides que les autocars, ils stationnent dans une station de louage et leurs chauffeurs crient généralement leur destination. Si vous vous rendez à un endroit peu fréquenté, il vous faudra peut-être attendre un peu avant que le véhicule ne se remplisse.

Les **taxis traditionnels** sont de deux types, les petits taxis et les grands taxis. Les premiers peuvent transporter trois personnes et les seconds cinq. Ils sont dotés d'un compteur et sont très bon marché. À l'aéroport, attention toutefois aux faux taxis qui ne possèdent pas de compteur et risquent de vous surfacturer la course. Des taxis privés peuvent être loués à la journée mais il faut absolument négocier le prix à l'avance.

En avion : Tunis Air et Tunisavia desservent plusieurs villes à l'intérieur du pays : Djerba, Monastir, Tozeur, Gabès et Sfax. La liaison Tunis-Djerba est très fréquentée et souvent surchargée, aussi convient-il de réserver à l'avance. Numéros de réservation à Tunis : Tunis Air (aéroport) (01) 288000, représentation en ville : tél. (01) 259189 ; Tunisavia, tél. (01) 254875. Les vols sont nombreux (six par jour pour Djerba) et ne durent pas plus d'une heure.

Heures d'ouverture

En Tunisie, la semaine de travail s'étend du lundi au vendredi. La plupart des administrations et des bureaux sont fermés le samedi et le dimanche sauf dans le secteur du tourisme, où les bureaux, tels que les agences de location de voitures et les voyagistes, sont ouverts jusque tard, ainsi que le week-end pour accueillir les vacanciers.

Moyens de communication

Le système **téléphonique** automatique est désormais généralisé dans presque tout le pays. Situés dans les cafés des gares, des aéroports et dans les lieux publics, les **taxiphones** vous permettront de passer des appels nationaux et internationaux avec des pièces de 50 millimes . Pour les appels longue distance, vous pouvez également passer par le **standard de votre hôtel** ou par le **service de télécommunication** des bureaux de poste. À Tunis, ce service est ouvert 24 h sur 24 au bureau de poste principal. Les **bureaux de poste** sont signalés par un panneau jaune comportant une inscription noire en arabe et, dans un coin, le sigle PTT en petites lettres. Les heures d'ouverture varient selon les périodes de l'année. Du 16 septembre au 30 juin : 8 h-12 h et 15 h-18 h du lun. au ven. et 8 h -12 h le sam. Du 1er juillet au 15 septembre : 7 h 30-12 h 30 et 16 h 30-18 h30 du lun. au ven. Durant le mois du ramadan, les horaires sont les suivants : 9 h -13 h 30 du lun. au sam. Si vous ne connaissez pas votre lieu de résidence à l'avance et souhaitez recevoir du courrier, optez pour le service de poste restante. Faites noter la mention « **Poste restante** » après votre nom sur l'enveloppe, suivie du nom de la ville. Pour récupérer votre courrier vous devrez présenter votre passeport et verser une somme modique.

Électricité

À l'exclusion peut-être des vieux quartiers de Tunis, le courant fonctionne partout en 220 volts et 50 hertz. Les sautes de courant ne sont pas rares, aussi prenez garde si vous utilisez un ordinateur et veillez à débrancher les appareils non utilisés.

Précautions sanitaires

Bien qu'aucun vaccin ne soit obligatoire en Tunisie, il est bon de vérifier que vous êtes à jour de votre rappel **DTPolio** et **typhoïde**. Dans le sud du pays, le risque d'hépatite est présent mais limité. Pour éviter les crises de **diarrhée**, ne buvez que de l'eau provenant

TABLE DE CONVERSION

DE	EN	MULTIPLIER PAR
pouces *(inches)*	centimètres	2,54
yards	centimètres	91,4
pieds *(feet)*	centimètres	30,48
milles *(miles)*	kilomètres	1,609
milles carrés *(square miles)*	kilomètres carrés	2,59
acres	hectares	0,405
pintes *(pints)*	litres	0,568
livres *(pounds)*	kilogrammes	0,454
tons	tonnes	1,016

Pour convertir des degrés Fahrenheit en degrés Celsius : – 32 x 5 : 9.

de bouteilles capsulées, ne mangez que des fruits pelés et méfiez-vous des crudités si l'hygiène d'un restaurant vous semble douteuse.

Santé

Vous trouverez en Tunisie une kyrielle de **pharmacies**, toujours gérées par des pharmaciens expérimentés qui sauront vous aider à traiter les maux les plus courants. Si vos problèmes sont plus sérieux, le pharmacien vous orientera vers un **médecin**.

Sécurité

Tous les grands hôtels possèdent leur propre **personnel de sécurité** dont la présence vise essentiellement à surveiller l'entrée de personnes qui ne sont pas clientes de l'hôtel et limiter ainsi les risques de vol dans les chambres. Bien que relativement peu nombreux en Tunisie, les larcins sont inévitables en présence de vastes groupes de touristes étrangers. Pour éviter toute déconvenue, prenez les précautions qui s'imposent. Dans la mesure où la plupart des vols ont lieu dans les chambres d'hôtel, il est très utile de remettre vos objets de valeur dans le **coffre de l'hôtel** ou de les emporter toujours avec vous. Si vous résidez dans un petit hôtel, demandez au gérant de garder vos objets de valeur dans son bureau. Ainsi responsabilisé, il veillera à ce que vos biens soient en sûreté.

Signalisation routière

La signalisation est bilingue, en français et en arabe. La plupart des panneaux sont identiques à ceux que vous trouvez en France.

Quelques mots utiles

Français = *Arabe*
Bonjour (informel) • *Marhaba*
Bonjour (formel) • *As-Salam Alaykum*
Bonjour (en retour) • *Wa'alaykum as-Salaam*
Au revoir • *Ma'a Salaama*
Oui • *Ayywa*
Non • *La*
S'il vous plaît • *'afak/'afik/'afakum* (m/f/pl)
Merci • *shukran*
Je ne comprends pas • *ma fhemtesh*
Combien est-ce ? • *bi kam?*
Trop • *ghalee*

Urgences

En cas d'**urgence**, partout dans le pays, composez le 197. À Tunis, vous pouvez également appeler les **pompiers** au 198 et une **ambulance** au 49 13 13. Le **centre antipoison** de Tunis est situé à l'Institut Pasteur, Place du Gouvernement, tél. (01) 66 36 55.

Savoir-vivre

Les Tunisiens sont tolérants vis-à-vis des étrangers. Il ne faut néanmoins pas oublier qu'en dehors des stations balnéaires et des complexes hôteliers, la Tunisie demeure un pays musulman, où il convient de **s'habiller** et de **se comporter** correctement. Les hommes et les femmes vêtus de shorts sont mal considérés, mais plus généralement ignorés. Il est de bon ton pour les femmes de se couvrir les bras et les jambes et de porter un foulard couvrant la tête et les épaules dans les **mosquées**.
Si vous êtes invité par une **famille tunisienne**, il est poli d'ôter ses chaussures devant la porte. Si l'on vous offre du thé ou du café, il convient d'accepter au moins une tasse, car un refus serait considéré comme une impolitesse.

Langue

L'**arabe** est la langue maternelle des Tunisiens, mais le **français** est très répandu, notamment dans les villes et les stations touristiques. Dans les villages berbères, la langue locale est parfois la seule usitée et comprise, avec quelques bribes d'arabe.

Nombres

0 • sifr
1 • wahad
2 • itnayn
3 • talaata
4 • arbah
5 • khamsa
6 • sitta
7 • sabah
8 • tamanya
9 • tesah
10 • ashara
11 • hidashar
12 • itnashar
13 • talatashar
14 • arbatashar
15 • khamastashar
16 • sittashar
17 • sabahtashar
19 • tisatashar
20 • ishrin
21 • wahd wi'ishrin
30 • talatin
40 • arba'in
50 • khamsin
60 • sittin
70 • sab'in
80 • tamanin
90 • tis'in
100 • miyya
500 • khamasa miyya
1000 • alf

INDEX

Note : Les chiffres en **gras** renvoient aux photos

achats 37 (*voir* également marchés)
adresses utiles 51, 67, 79, 97, 109, 121
Aghlabides 15, 56, 84
agriculture **20**, 94
Aïn-Draham 54, **59**
Aïn-Oktor 77
Arabe 15, 23, 126
Arabes, les 14
architecture **17**, 26, **27**, 82, 119
art 26, 46, 47
artisanat **28**, 37, **93**, 105, **107**
Astarté 75

Bab-Diwan 100
Bab-el-Bahar **34**, 35
Bab-el-Gharbi 85
balades à cheval 28, 102
Barberousse 34, 58
bassin des Aghabides, Kairouan 93
bazars *voir* marchés
Bélisaire 13
Berbères 10, 15, 22, **23**, **73**, 111, 117, 119
bijouterie 37, 65, 90, 100, 106
Bir-Barouta 90
Bizerte **56**, **57**
Bordj-el-Hissar 102
Bordj-el-Kebir 91, 106
Bou-Hedma 7
Boukomine 7
Bourguiba, Habib 17-19
broderie 28
Bulla-Regia 12, **60**, **61**
bus 124 (*voir* également les pages *En un coup d'œil*)
Byzantins, les 14

cafés, les **22**, 30, **57**
camping 115, 123-124
cap Bon 7, 69, **76**
cartes de crédit 123
Carthage **10**, **11**, **42**, **43**
festival du film 26, 40
festival international 40
musée 45
casbah 85
catacombes 86
cathédrales
ville rrançaise, Tunis 39
Saint Louis, colline de Byrsa **45**
Chaambi 7
chameaux 72, 83, 90, 113, 116, **117**
char à voile 29
Chemtou 61
Chenini 119
Chenini du Gabès 103
Chott-el-Djerid 111
chotts, les 7
climat 7, 8, 34, 51, 54, 70, 82, 97, 100, 109, 112, 121
colline de Byrsa 45
conseils pour les visites 50
corail 56
couscous **30**, 64
colline de Byrsa 45
conseils pour les visites 50
costumes traditionnels 25
cuisine **20**, **30**, **31**, **35**, 51, 64, 67, 76, 79, 88, 97, 109, 121, 124
culture **25**, 26, **118**

danse **25**, 71, 107, 118
Dar-el-Bey 35
Dar-el-Jeld 36
dattes 8, 20, 31
Dhikla 89
Djebel Dahar 118
Djerba 29, 99, **104**, **105**, **107**
Dorsale 69
douane 122
Dougga 12, **52**, **62**, 63
Douiret 119
Douz **116**

économie 20
écriture arabe 15, 23
El-Haouaria 76
El-Jem **12**, 92
électricité 125
épices 37, 77, 100, **116**
Er-Riadh 106
excursions 51, 67, 79, 97, 109, 121
exploitation minière **19**, 21, 95
Fatima 14
faune et flore **8**, **9**, 59, 66, 72, 73, 74, 89, 101
festivals **4**, 40, 71, 92, 113, **117**
film 91, 116
Flaubert, Gustave 43
fondouks 105
Français 17
fruits de mer 30, 31, 42

Gabès 99, **102**, **103**
Gafsa 112
Gammarth 48, 49
Ghar-el-Melh 55
ghorfas 118, 119
golf 29, 70, 87
gorges de la Seldja 113
gouvernement 20
Guellala **107**

habitations troglodytes 116, 117, 119
Hammamet **7**, **68**, 70, **71**
Hamman-Lif 48, 49
Hamman-Mellègue 66
hammams 48, 66, 85
hébergement 51, 67, 78-79, 96-97, 108-109, 120-121, 123-124
heures d'ouverture 125
histoire 10
Homère 104
hôtels *voir* hébergement
Houmt-Souk 104, 105

Ibn Khaldoun 38, 39
Ichkeul 7
îles Kerkennah **98**, 99, 101
informations touristiques 122
informations pratiques 122
islam 22, 102

juifs de Djerba 106
jours fériés 123

Kairouan **14**, **15**, **24**, **92**, **93**
Kelibia 73, **74**
kilims 37, 57, **93**, 116
Kerkouane 74, **75**
Klee, Paul 46, 47
Korbous **77**
Ksar-Hellal 90
Ksar-Joumaa 118
ksar Ouled-Soltane 119
ksour, les 117, **119**
La Goulette 42
La Marsa 48, 49
langue 23, 126
Le Kef 65, **65**, **66**
liège 62
livres 41, 43, 103, 124
louages (taxis collectifs) 124

Mahdia **90**, **91**
Makthar 95
marchandage 85
marbre 61
marchés **23**, **37**, 39, 69, **73**, 76, 77, 83, 85, 86, 90, 100, 105, 107, **116**
Matmata 111, 117
mausolée *voir* tombeaux
mausolée Bourguiba, Monastir **88**
Médenine **118**
medersas 35
Médina, Tunis 35
Meknassy 28
menzels 104
Metameur 118
Midoun 107
Moknine 90
Monastir **87**, **88**, **89**
monnaie 123
mosaïques **13**, **41**, **60**, 85
mosquées 84
Casbah, Tunis 35
Grande Mosquée, Hammamet 71
Grande Mosquée, Gafsa 113
Grande Mosquée, Kairouan **92**, 93
Grande Mosquée, Mahdia 91
Grande Mosquée, Monastir 89
Grande Mosquée, Sousse **82**, 83, **84**
Hammouda Pacha, Tunis 36
Mosquée du Barbier, Kairouan **14**, **24**
Sidi bou Makhlouf, Le Kef **65**
Sidi Boulbaba, Gabès 103
Zitouna, Tunis **32**, **36**
montagnes 59, 62
musées
9-Avril, Tunis 36
Antiquités, Sfax 101
Arts et traditions populaires, Moknine 90
Arts et traditions populaires, Le Kef 66
Arts et traditions populaires, Tozeur 115

Art moderne et cinéma, Tunis 40
Bardo, Tunis 40, **41**
Carthage 45
Costume, Monastir 89
Dar Abdallah, Tunis **38**
Dar Cherait, Tozeur 115
Dar Jellouli, Sfax 100
islamique, Monastir 89
Kerkouane 75
océanographique, Tunis 44
Sousse 85
Traditions populaires, Gabès 103
musique **26**, 27, 39, 71, 92

Nabeul 72
parcs nationaux 7
Neapolis 72
Nefta 116
nombres 126

oasis 6, 103, 111, 112, **114**, 115, 116
oasis de Chebika **114**
oasis de Tamerza 114
oiseaux 9, 111
olives 20, 81
oued Medjerda 53

parcs 35, 40
population **22**, **23**, **39**
parfum 37, 100
pêche 74, 87, 102
Phéniciens 10, 11
pirates 16
plages **21**, 48, 49, 54, 57, **71**, **76**, 82, 89, 101, 102
plongée 29, 53, 56, 87
Port-el-Kantaoui **86**, 87
poterie 28, 72, 105, 107
préservation de l'environnement 7
protectorat français 17, 34
prière 22

Raf-Raf 55
randonnées pédestres 59
ramadan 24
Ras-el-Ain 66
religion 24, 102, 106, 116
Romains 12
rose des sables 86

Saint Louis 45
Sahara **6**, 111, 114, 1 15
santé 122, 125–126
savoir-vivre 126
Sbeïtla 12, **80**, **94**
Seconde Guerre mondiale **16**
sécurité 126
Sfax 99
Sidi-Ali-el-Mekki 53, 55
Sidi-bou-Said 46, **47**, **48**
signalisation routière 126
Skanes 89
Skifa-el-Kahla 91
souks *voir* marchés
Sousse **82**, **83**
sport **29**, 86, 87, 113
sports nautiques 29, 53, 56, 70, 74, 86, 87, 101-102
synagogue La Ghriba **106**

Tabarka **54**, 57, **58**
tapis 57, **93**
Tataouine **110**, 119
Teboursouk 62, 63
temples
Apollo, Bulla-Regia 60
Caelestis, Dougga 64
Capitole, Tunis 50
Isis, Bulla-Regia 60
Jupiter, Sbeïtla **80**
Mercure, Tunis 50
Mercure, Dougga 63
Minerve, Dougga 63
Romain, Hammamet 71
Romain, Kelibia 74
Saturne, Dougga 63, **64**
thermes d'Antonin **46**
Thuburbo-Majus **49**
tissage 28, 73, 90, 116
train le Lézard rouge, Gafsa **113**
travail des carreaux de faïence 18
tombeaux
mausolée Bourguiba, Monastir 89
mausolée Dougga 63
puniques, Kelibia 74
Tourbet-el-Bey, Tunis 39
Tophet 44
tourisme **18**, 21, 122
Tozeur 115
trains **113**, 126 (*voir également les pages En un coup d'œil*)
transport **18**, **40**, **44**, 51, 67, 78, 96, 108, 120, 122, 124-125
Tunis **17**
Bibliothèque nationale 36
caserne de Sidi Morjani 36
hébergement 51
Grande Mosquée 36
jardin Habib Thameur 40
jardin de Gorjiani 40
lac de Tunis 35
musée du Bardo 40
marché central 39
musée Dar Abdallah **38**
mosquée de Hammouda Pacha 36
mosquée de la casbah 35
mosquée Ez-Zitouna **32**,**36**
médina 35-39
Musée du 9-Avril 35
Musée d'Art moderne et du Cinéma 40
Office du tourisme 51
parc du Belvédère 35
restaurants 36, 51
rue des Teinturiers 38
souks 37
transport 51
Tourbet-el-Bey 39
Turcs, les 16

Ulysse 103, 104
urgences 126
Utique 12, 53

Vandales 13
vestiges **10**, **49**, 55, **62**, **75**, 95
vestiges puniques **10**
vêtement 122–123
vie nocturne 73
ville française 39
vin 31, 73
Virgile 41, 42
visas 122

Zaghouan **50**
Zembra 7
Zembretta 7
zoo 35, 40